La vie
après la vie

© 1992 Editions Intrinsèque
© 2003 ANAGRAMME éditions

Dépôt légal 2e trimestre 2003

ISBN 2-914571-36-4

Imprimé en Espagne
par Impression Design
F-92100 Boulogne - 33 (1) 46 20 57 57

ANAGRAMME éditions
48, rue des Ponts
F-78290 Croissy sur Seine
33 (1) 39 76 99 43
anagramme.editions@free.fr

GUY SAINT-JEAN éditeur
3172, boul. Industriel
Laval (Qc), Canada H7L 4P7
1 (450) 663-1777
saint-jean.editeur@qc.aira.com

Tous droits de traduction et d'adaptation réservés.
Toute reproduction d'un extrait quelconque de ce livre par quelque procédé que ce soit,
et notamment par photocopie ou microfilm,
est strictement interdite sans l'autorisation écrite de l'éditeur.

D. Scott Rogo

La vie après la vie

Sommaire

Introduction

L'idée que nous survivons au choc de la mort est ancienne et vivace. Toutes les religions et les cultures de notre monde enseignent cette doctrine. Cette vision des choses est si répandue que Sir James G. Frazer, pionnier de l'étude moderne de l'anthropologie au XIXe siècle, se sentit dans l'obligation d'en fournir une justification dans l'ouvrage qui le rendit célèbre, The Golden Bough (Le Rameau d'or).

Selon sa théorie, lorsque les premiers hommes rêvaient des morts, ils confondaient ce phénomène avec un contact direct. Cependant, il s'est avéré que la théorie de Frazer ne pouvait rendre compte de tous les aspects de la croyance en l'immortalité. En effet, elle ne peut expliquer pourquoi des peuples différents ont élaboré des concepts si dissemblables de l'au-delà. Certaines sociétés primitives ont progressivement adopté le concept d'un domaine céleste semblable à notre vie terrestre, tandis que la théorie de la réincarnation et de la transmigration de l'âme s'est imposée en Afrique et en Asie. Quant aux Pères de l'Église, ils sont irrémédiablement divisés entre les tenants de la résurrection physique et ceux de la résurrection de l'âme.

La réfutation la plus significative de la théorie de Frazer fut sans doute l'ouvrage d'Andrew Lang, The Making of Religion (Le Développement de la religion), publié vers la fin du siècle dernier. Irlandais spécialiste du folklore, Lang était fasciné par les récits ayant trait aux fantômes, aux apparitions et aux esprits frappeurs qui abondent dans les traditions de nombreuses sociétés. Il en vint à croire que ces histoires représentaient d'authentiques expériences métapsychiques, ce qui le conduisit à postuler que la croyance des premiers hommes en l'immortalité était due à des contacts réels avec le monde surnaturel, et n'était pas le fruit de leur imagination.

Le présent ouvrage tentera d'examiner s'il existe quelque fondement que ce soit à la démarche mise en place par Lang. Nul doute que l'humanité cultive depuis fort longtemps une croyance sacrée en la vie après la mort. Néanmoins, un gouffre sépare la croyance de la preuve. C'est à ce point, comme Lang l'avait si bien perçu, que l'étude de phénomènes métapsychiques entre en jeu. Les apparitions, les fantômes, les visions des mourants, les témoignages des médiums et toutes les manifestations du même ordre sont essentiels lorsqu'on examine la question de l'après-vie. Si la vie quotidienne comprend des contacts directs avec le monde des morts, il semble peu pertinent d'explorer d'hypothétiques sources psychologiques de cette croyance.

En dépit du caractère évident de cet argument, la science conventionnelle a longtemps répugné à étudier le phénomène de la mort et ce qui se trouve au-delà. Ce n'est qu'au cours des 20 dernières années que l'étude scientifique de l'expérience de la mort, la thanatologie, est devenue un champ d'investigation distinct de la psychologie traditionnelle. Jusqu'alors, la science et la psychologie se contentaient de considérer la mort comme un ennemi et non comme un domaine de recherche valide. La recherche métapsychique, ou parapsychologie, est la seule discipline scientifique qui se soit jamais intéressée à l'étude de l'immortalité humaine (bien qu'une majorité de scientifiques refuseraient sans doute de lui décerner le qualificatif de science). Cet intérêt remonte au XIXe siècle : l'histoire en sera contée au premier chapitre. Mais puisque la parapsychologie n'a réussi à se faire tolérer par la communauté scientifique que dans ce dernier quart de siècle, nous nous contenterons de préciser que ses découvertes au sujet de la vie après la mort n'ont jamais eu d'impact très significatif sur la science et la culture en général - ce qui ne déprécie en aucune façon l'importance des données mises au jour par les premiers parapsychologues scientifiques.

Ceux-ci commencèrent par étudier les apparitions et les visions des mourants, pour se tourner ensuite vers les médiums, qui prétendaient pouvoir donner voix à des entités désincarnées. Ces tentatives étaient captivantes et frustrantes à la fois, dans la mesure où les premiers chercheurs n'avaient pas une idée très claire de la nature des critères à utiliser pour faire la preuve de la vie après la mort.

Un siècle nous sépare à présent de ces premières investigations. La quête de la preuve de la survie a depuis lors gagné la psychologie, la physique et même la biologie. De nouveaux faits sont pris en compte par la recherche, qui étudie les expériences de projection hors du corps, les récits de personnes qui ont «frôlé» la mort et en sont «revenues», de même que les souvenirs de jeunes enfants qui soutiennent se remémorer leurs incarnations précédentes. Tous ces phénomènes seront examinés dans le cadre de cet ouvrage.

En consacrant l'essentiel de notre attention aux témoignages indiquant que l'après-vie existe, nous tenterons de déterminer si l'humanité possède la faculté de vivre après la mort et si le contact avec l'au-delà a été établi de façon indiscutable. La démarche retenue exclut la prise en considération de tous les autres problèmes connexes. On omettra, en particulier la question de la conceptualisation de la nature du monde de l'au-delà, car nous sommes d'avis qu'il n'est pas possible de s'interroger sur cette question sans perdre la rigueur qui est nécessaire à notre approche. Les témoignages que nous possédons sur la vie après la mort sont trop contradictoires et trop problématiques pour que de telles spéculations aient un sens quelconque.

Pour ceux dont l'intérêt principal porte sur la nature de l'au-delà, il convient de mentionner deux tentatives remarquables entreprises en vue d'établir une cartographie de cet «autre monde». Toutes deux s'appuient sur des faits répertoriés par la recherche métapsychique. La première date de 1961, alors que le docteur Robert Crookall, scientifique anglais à la retraite (aujourd'hui décédé), démontra dans son ouvrage, The Suprême Adventure, que les descriptions de la «vie future» proposées par les médiums, les personnes ayant frôlé la mort et les spirites étaient cohérentes entre elles. Cette idée fut confirmée en 1981 lorsqu'un influent spiritualiste britannique, Paul Beard, apporta la preuve de semblables convergences au sein des communications d'un petit groupe de médiums. (Ces données furent présentées dans Living On, ouvrage dont on ne peut que recommander la lecture.) Les deux chercheurs brossèrent un tableau de l'outre-tombe organisé en différents plans correspondant au niveau spirituel de chacun, pour se résoudre en une mystérieuse «seconde mort».

Le problème que soulève cette démarche tient au fait que les deux chercheurs avaient fondé leurs cartographies sur une sélection discutable de leurs données; de plus, ils travaillaient à partir de sources provenant des spiritualistes ou influencées par un spiritualisme populaire. Il s'agissait là d'une erreur d'importance, car dès la fin du siècle dernier, la philosophie spiritualiste avait déjà élaboré une théologie structurée quant à la nature de l'au-delà. Cette conception s'inspirait largement des écrits d'un mystique suédois du XIXe siècle, Emmanuel

Swedenborg. Sa cartographie, qui s'appuyait sur ses propres expériences visionnaires, fut rapidement incorporée au spiritualisme par de nombreuses têtes de file du mouvement aux États-Unis. Par conséquent, il se pouvait fort bien que la similitude des communications reçues par une multitude de spirites soit due au fait que celles-ci provenaient d'informations, de préjugés et d'un manque de culture qu'ils partageaient tous.

Puisque le problème de l'après-vie est si déroutant, si complexe, nous nous consacrerons dans cet ouvrage à deux problèmes fondamentaux : la croyance en l'immortalité est-elle logique et est-il posible de réunir des témoignages directs confirmant cette notion? Nous commencerons par un bref historique de la recherche en matière de survie, avant d'explorer des façons plus récentes d'aborder cette controverse. Le dernier chapitre esquissera nos vues personnelles sur le sujet et fournira une description de cas qui indiquent clairement l'existence de la vie après la mort.

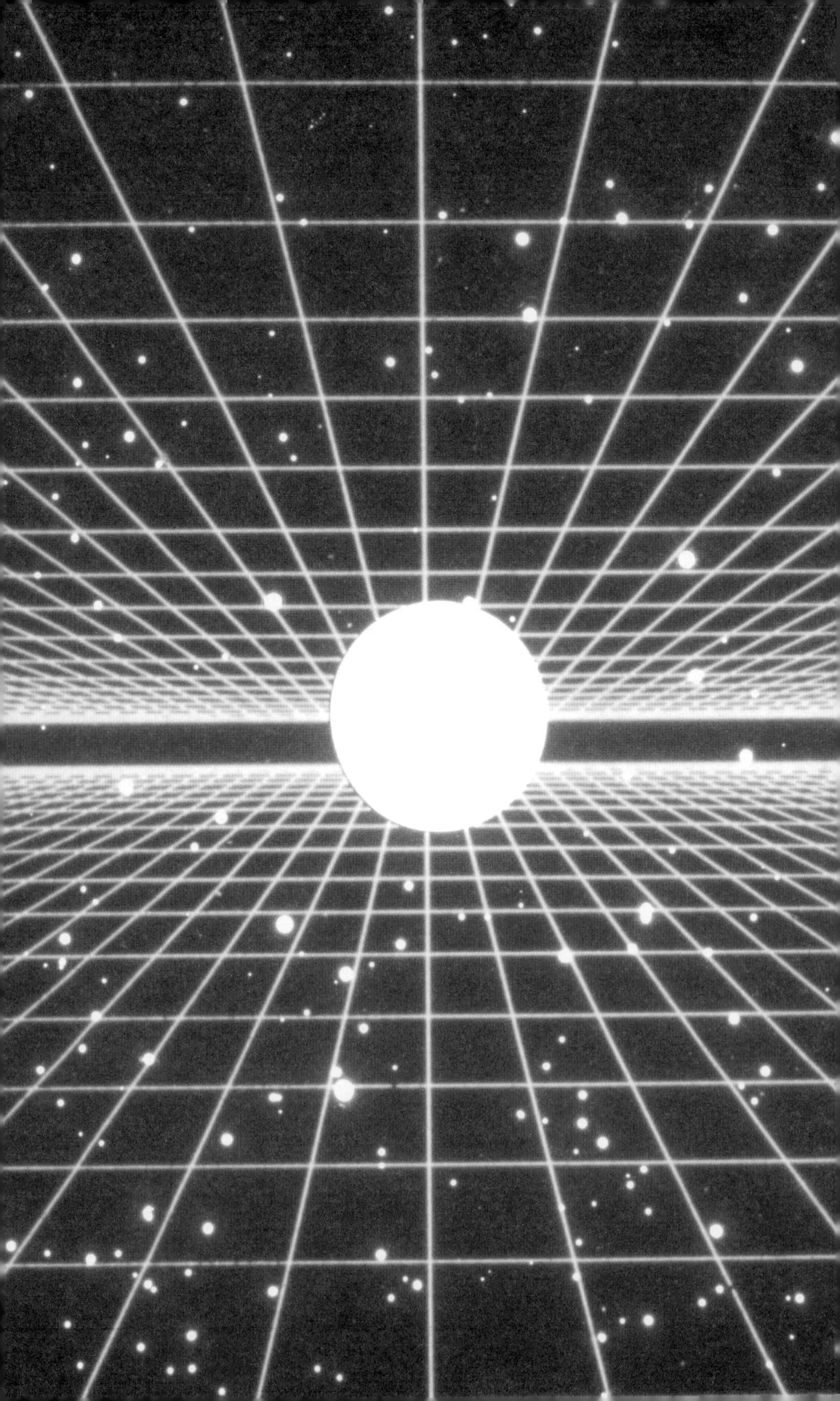

La recherche métapsychique : la controverse de la survie

L'un des chapitres les plus curieux de l'histoire de la jurisprudence américaine s'est déroulé en Arizona en 1967, lorsqu'un prospecteur excentrique du nom de James Kidd, qui avait disparu dans le désert aux environs de Phœnix en 1949, fut déclaré légalement mort.

Le cas de James Kidd

Cet événement en lui-même n'aurait sans doute pas attiré l'attention de la presse et du public si ce n'avait été d'une bizarrerie de l'affaire. En effet, lors de sa disparition, le prospecteur avait laissé quelque 175 000 $ US en espèces et en actions dans un coffre à la banque. Ce coffre contenait également un testament manuscrit daté du 2 janvier 1946, dans lequel il déclarait que la majeure partie de sa fortune devait être consacrée à «....rechercher une preuve scientifique que l'homme possède une âme qui quitte le corps à l'heure de la mort.»

Lorsque le contenu du testament fut rendu public, il donna lieu à une grande agitation, et le tribunal de Phœnix fut bientôt assailli de demandeurs qui espéraient bien bénéficier de la manne. Parmi eux, des médiums, des représentants de l'Église, des philosophes, des instituts de recherche et un certain nombre d'excentriques qui revendiquaient tous l'attribution de cette somme. Dans les mois qui suivirent, la cour tint ses audiences, qui furent l'occasion de nombreuses discussions éminemment philosophiques, mais qui donnèrent aussi lieu à des épisodes cocasses. Ainsi, une «médium» de Los Angeles expliqua à la cour comment son «guide spirituel» pouvait répondre aux questions par son intermédiaire pendant qu'elle faisait fonctionner un sèche-cheveux afin de ne pouvoir entendre les questions! Un professeur de philosophie d'un institut universitaire californien déclara qu'il pouvait démontrer l'existence de l'âme à l'aide de la seule logique, tandis qu'un institut de neurologie de l'Arizona se déclara prêt à effectuer des recherches sur le cerveau avec ces fonds. Les parapsychologues étaient également intéressés par ce testament, si bien que deux associations, la Société américaine pour métapsychique de New York (American Society for Psychical Research) et la Fondation pour la recherche métapsychique de Durham (Psychical Research Foundation), envoyèrent des représentants afin d'apporter leurs témoignages.

Les audiences furent bientôt qualifiées de «Grand procès de l'âme», mais la décision de la cour fut décevante. En effet, le juge Robert J. Myers accorda l'argent à l'institut de neurologie, en indiquant qu'il était préférable que cette somme serve à la recherche. Cette décision souleva un tollé parmi les demandeurs, dont certains arguèrent que l'institut s'était disqualifié par ses propres déclarations. En effet, des représentants de cet institut avaient précisé lors des audiences qu'ils ne consacreraient pas leurs recherches à l'âme, de sorte que les critiques des autres demandeurs étaient justifiées. En fin de compte, la Société américaine pour la recherche métapsychique et la Fondation pour la recherche métapsychique, fondées en 1960 dans le but exprès de se consacrer au problème de la survie, interjetèrent appel. La Cour suprême de l'État d'Arizona fut plus compréhensive envers leurs arguments, si bien qu'après avoir réexaminé le cas, elle signifia au juge Myers qu'il lui fallait revenir sur sa décision. Cela signifiait qu'il n'avait d'autre choix que d'accorder l'argent à la Société américaine pour la recherche métapsychique puisque cette société avait démontré de façon convaincante, par son histoire même, qu'elle se consacrait à la recherche de preuves de la survie après la mort. Finalement, la Société décida de partager le legs avec la Fondation pour la recherche métapsychique.

L'étrange affaire de James Kidd et de son testament fournit à la parapsychologie un intéressant précédent : en effet, il était reconnu publiquement et, dans une certaine mesure, légalement, que la question de la vie après la mort pouvait être étudiée scientifiquement, tout en établissant que cette science était la plus à même de relever le défi. La nouvelle décision du tribunal fut probablement influencée par le témoignage du docteur Gardner Murphy, éminent psychologue qui, à l'époque, présidait la Société américaine pour la recherche métapsychique. Murphy avait pris soin d'expliquer pendant les audiences que la Société se consacrait depuis longtemps à l'étude des apparitions, des visions à l'article de la mort, de la médiumnité et d'autres phénomènes métapsychiques. Il s'agissait là des rares occasions permettant aux vivants d'entrevoir le monde invisible.

Cependant, une question reste posée : si la parapsychologie s'occupe du problème de l'après-vie depuis si longtemps, comment fait-il que celui-ci ne soit pas résolu? En effet, même s'il existe une abondante littérature consacrée à ce sujet, la preuve décisive de la vie après la mort reste insaisissable.

Les principes de la recherche sur la survie

Pour bien comprendre la complexité de la question, il faut en premier lieu connaître un tant soit peu l'histoire de la recherche métapsychique. La parapsychologie est aujourd'hui une science expérimentale. La plupart des chercheurs se consacrent à des tests en laboratoire, réalisés sur des sujets humains afin de vérifier, entre autres, l'existence de la télépathie, de la seconde vue et de la précognition. Or, ce n'est là qu'un des visages de la parapsychologie, le plus récent dans sa courte histoire marquée par une quête de respectabilité scientifique. Cette science remonte aux années 1880, époque bien antérieure à la statistique, à la psychophysiologie et aux autres outils qu'utilisent de nos jours les parapsychologues. À cette époque de pionniers, la recherche métapsychique avait un caractère plus philosophique, plus existentiel, puisqu'elle s'inscrivait dans une société bien différente de la nôtre.

Plusieurs facteurs contribuèrent aux changements qui marquèrent la culture de l'ère victorienne, facteurs qui, on s'en doute, influencèrent les premiers pas de la recherche métapsychique. Il s'agissait en effet d'une époque où la science et ses réalisations remettaient en question l'autorité religieuse, qui avait guidé la pensée européenne cinq siècles durant. Le XIXe siècle fut celui de l'industrie et des inventions, si bien que nombre de gens croyaient que c'était la science et non la religion qui sauverait l'homme et le rendrait maître de l'univers. La publication des ouvrages du brillant scientifique et penseur anglais Charles Darwin, De l'origine des espèces, au moyen de la sélection naturelle, et Les Origines de l'homme, ne simplifia pas la situation. En effet, la pensée de Darwin impliquait que l'homme n'était qu'une partie de l'ordre du monde, et une partie intégrante. Ses découvertes démontraient que l'homme n'avait pas été victime d'une «chute» spirituelle qui lui aurait aliéné la Grâce divine au moment de son

installation dans le monde, mais qu'il s'était contenté d'évoluer à partir de formes plus simples. Ceci constituait un défi à l'autorité de l'Église, qui enseignait que l'homme devait lutter pour recouvrer l'état spirituel qui était le sien au début des temps. Pendant ces années, des universitaires allemands prouvèrent de surcroît que la Bible n'était pas un document infaillible, mais qu'elle pouvait être analysée de façon critique, comme tout autre objet littéraire. Ces découvertes indisposaient fort les autorités religieuses établies.
II en résulta une société dont la vision du monde n'était pas métapsychique simplement redevable du dogme religieux. La science plaçait l'homme au-dessus des dieux, et il semblait probable que la religion aurait à adopter des méthodes scientifiques afin de prouver les doctrines de l'âme et de son immortalité.

Le spiritualisme

C'est également à cette époque cruciale qu'une petite secte née aux États-Unis déferla sur l'Europe. Le spiritualisme était un mouvement religieux de faible envergure, mais dont les racines plongeaient loin dans la culture américaine des années 1840-50. Le mouvement était né en 1848, lorsque plusieurs personnes avaient été témoins des agissements d'esprits frappeurs dans une petite maison de Hydesville, dans l'État de New York. Tout avait commencé par des coups secs et durs, adressés expressément à deux adolescentes de la maison,- Margaret et Kate Fox. Les deux jeunes filles parcoururent bientôt la Côte Est pour faire la preuve de leur pouvoir de «susciter» ces séries de bruits provenant du monde des esprits. Ces démonstrations éveillèrent l'intérêt tant de la communauté scientifique que du grand public, qui voyait dans le surnaturel les fondements d'une nouvelle religion enseignant que la communication avec les morts appartenait à la réalité de tous les jours. Que ces deux premières «médiums» aient été authentiques ou non a peu d'importance : le spiritualisme venait de prendre son essor.

Ce qui séduisait tant les Américains dans le spiritualisme, c'est qu'il semblait être une religion «scientifique». Sa théologie ne s'appuyait pas sur des dogmes ou sur une autorité, mais enseignait au contraire que chaque chercheur pouvait se forger ses propres principes. Il suffisait aux sceptiques de s'assurer les services d'un bon spirite ou d'un bon médium.

Le groupe de Cambridge

Le succès grandissant du mouvement spiritualiste n'exerça pas seulement ses effets sur la culture populaire : il attira également l'attention des cercles intellectuels anglais. Les progrès du spiritualisme en Angleterre se produisirent à peu près au moment où un certain nombre de philosophes britanniques, plus ou moins liés par leurs études à l'université de Cambridge, se débattaient avec leurs propres doutes métaphysiques. Le plus important de ces penseurs était le professeur Henry Sidgwick, philosophe influent de cette université. Parmi les intellectuels de ce groupe se trouvaient également son ancien élève, F. W. Myers, et Edmund Gurney, diplômé de Cambridge et musicologue distingué.

Ces intellectuels étaient profondément affligés par les changements de la culture et de la pensée britanniques dont ils étaient témoins. Ils étaient tous fils de pasteurs, élevés dans le respect des valeurs chrétiennes; or, ils étaient désemparés de voir la société se détourner des anciennes doctrines, tout en comprenant que ces changements étaient logiques dans un monde en transformation. Ils sentaient que la société était sur le point d'être submergée par une vague d'athéisme et de matérialisme, ce qui, à leurs yeux, représentait un déclin. Ils décidèrent donc de trouver une façon de rétablir l'ordre chrétien. Mais puisqu'ils ne pouvaient plus avoir recours à la polémique ou au raisonnement philosophique, ils se trouvaient dans une situation inconfortable. C'est à cette époque qu'ils commencèrent à considérer d'un œil encore soupçonneux le mouvement spiritualiste, qui avait atteint l'Angleterre en 1852. Le groupe de Cambridge décida en fin de compte que c'était dans ce domaine que leurs chances de succès étaient les plus importantes : en effet, si le surnaturel pouvait être démontré scientifiquement, ils étaient persuadés que leurs découvertes leur permettraient de rejeter le matérialisme victorien. Il faut cependant préciser que le groupe de Cambridge ne désirait pas «démontrer» le spiritualisme. En fait, ses membres pensaient que s'il s'avérait que le phénomène du spiritualisme était authentique, ces manifestations étranges confirmeraient la nature spirituelle de l'homme. Certains critiques du travail de ce groupe ont avancé que ces chercheurs s'étaient impliqués émotionnellement pour trouver des preuves de la vie après la mort. Il s'agit là d'une grossière exagération. Si le professeur Sidgwick et ses collègues avaient à cœur de trouver des preuves scientifiques leur permettant de réfuter la vague de matérialisme qui triomphait à leur époque, ils étaient néanmoins conscients que de telles preuves devraient être assez solides pour influencer n'importe quel critique objectif et pour effacer leurs propres doutes.

C'est là une des raisons pour lesquelles la controverse à propos de la survie n'a jamais été résolue au sein de la parapsychologie. Les fondateurs de cette science ont rapidement découvert que faire la preuve de la vie après la mort (question qui était essentielle pour eux) n'était pas une question aussi facile a résoudre qu'un problème de logique ou une équation algébrique.

La S.P.R.

Le résultat le plus significatif de ces années de recherches et d'interrogations eut lieu en 1882, lorsque le groupe de Cambridge joignit ses forces à celles des membres les plus influents du mouvement spiritualiste. Ils fondèrent ensemble la S.P.R. (Society for Psychical Research), qui devint la première institution scientifique à se consacrer à la métapsychique. Les objectifs de la S.P.R. étaient d'examiner les récits de phénomènes métapsychiques, d'établir des critères permettant de définir ce qui constituait des preuves et de déterminer la nature de ces événements. La Société entreprit ces études dans un état d'esprit critique et bien des personnalités de l'histoire britannique, dont plusieurs scientifiques éminents et quelques hommes politiques influents, vinrent grossir ses rangs.

La parapsychologie en tant que science moderne est née des tentatives de la S.P.R. Il advint même que les éléments spiritualistes se détachèrent de la société au fur et à mesure que les membres à l'origine du groupe de Cambridge devenaient de plus en plus exigeants dans leurs recherches. Pour le meilleur ou pour le pire, la S.P.R. finit par se libérer complètement des associations religieuses de ses débuts. Elle se transforma essentiellement en une organisation consacrant ses efforts à faire la différence entre la réalité, la fiction et la supercherie dans le domaine de l'étude des phénomènes métapsychiques.

Les fondateurs de la S.P.R. se mirent à étudier un large éventail de phénomènes surnaturels, n'ayant pas tous des liens avec l'après-vie. Ils examinèrent des cas de télépathie survenus dans la vie de tous les jours, furent à l'avant-garde de la recherche en matière de transmission de pensée, observèrent des cas d'esprits frappeurs et s'intéressèrent à l'étude de l'hypnose. Toutefois, le centre d'intérêt principal de la S.P.R. était le problème de la survie.

Les apparitions et la survie

Dans la mesure où les premières recherches métapsychiques se déroulaient principalement sur le terrain, il n'y a rien d'étonnant à ce que les premiers indices de l'après-vie se soient révélés dans la vie quotidienne en Angleterre. Les fondateurs de la S.P.R. s'intéressaient en effet à la collecte et à l'analyse de cas d'expériences paranormales spontanées, si bien que dès 1886, ils avaient rassemblé un grand nombre de cas de télépathie, d'apparitions et autres phénomènes métapsychiques. Ces grands penseurs étaient particulièrement impressionnés par la quantité de récits d'apparitions en temps de crise dans leurs données. Il s'agissait de cas où une apparition se produisait au moment même où la personne qui la projetait était en train de trépasser. Ils en avaient recensé 32, si bien que les chefs de file de la S.P.R. en conclurent qu'une investigation approfondie de ces récits pourrait les aider à résoudre le problème de la survie.

Le rapport reproduit ci-dessous, daté du 20 mai 1884, est un bon exemple des cas des débuts de la recherche métapsychique :

« J'étais en train de lire un soir lorsque, en levant les yeux de mon livre, j'aperçus distinctement une de mes amies d'enfance, à laquelle j'étais très attachée, qui se tenait près de la porte. J'allais m'exclamer que sa visite était étrange quand, à ma grande horreur, il n'y eut plus personne dans la pièce excepté ma mère.
Je lui relatai ce que je venais de voir, sachant qu'elle n'avait rien pu voir puisqu'elle tournait le dos à la porte. Elle n'avait rien entendu d'inhabituel et fut fort amusée de mon effroi, suggérant que j'avais trop lu ou que j'avais rêvé.
Un ou deux jours après cet événement insolite, j'appris que mon amie n'était plus de ce monde. Le plus étrange est que je ne savais même pas qu'elle était malade, encore moins que ses jours étaient en danger; aussi était-il peu probable que je me sois inquiétée à son sujet à l'époque, quoiqu'il est possible que j'aie pensé à elle : je ne puis le dire avec certitude. Sa maladie fut de courte durée, et son décès inattendu. Sa mère me dit qu'elle avait parlé de moi peu de temps avant sa mort... Elle

s'était éteinte le soir et à peu près à l'heure où je l'avais aperçue, à une date qui se trouvait être la fin du mois d'octobre 1874. »

II incomba bientôt à Edmund Gurney en personne d'étudier ces cas. Il prit soin de chercher à établir si la jeune fille auteure du témoignage était sujette aux hallucinations, ou s'il se pouvait qu'elle se soit trompé sur le jour où elle avait eu cette apparition. Or les découvertes qu'il fit sur le terrain corroborèrent les déclarations du témoin.

La plupart de ces premières apparitions en temps de crise étaient peu spectaculaires. Le caractère inattendu de cette banalité impressionna les chercheurs de la S.P.R., dans la mesure où il ne correspondait aucunement au drame intense qui caractérisait les histoires fictives de fantômes. De fait, un des premiers critiques de l'œuvre de la Société remarqua que ces récits favorisaient plus le sommeil qu'ils ne le chassaient! Par exemple, le cas suivant fut relaté par un professeur :

« Un été, il y a de cela environ 14 ans, à 3 heures de l'aprèsmidi, je passais devant l'église de la Trinité, dans la Upper King Street, à Leicester, lorsque j'aperçus de l'autre côté de la rue un vieil ami d'enfance que j'avais perdu de vue depuis qu'il avait quitté la ville pour apprendre un métier. Il m'ignora, ce que je trouvai étrange. Après l'avoir suivi des yeux en me demandant si j'allais l'aborder, je finis par le héler et fus étonné de ne pas pouvoir !l suivre plus avant ni de pouvoir dire dans quelle maison il avait pénétré, car j'étais persuadé que c'était là ce qu'il avait fait.
La semaine suivante, je fus informé de sa mort soudaine, qui s'était produite à Burton-on-Trent à peu près à l'heure où je l'avais vu passer devant moi. Ce qui me frappa à l'époque fut qu'il m'avait ignoré et qu'il était passé silencieusement avant de disparaître soudainement. Mais je ne doutai jamais une seconde qu'il s'agissait de E.P. J'ai toujours considéré que

c'était là une hallucination, mais je n'ai jamais compris pourquoi elle s'était produite à ce moment-là, ni pourquoi j'en fus plutôt qu'un autre la victime. »

Des entrevues ultérieures établirent que le témoin n'avait jamais eu d'hallucination auparavant. La S.P.R. découvrit également qu'il avait d'abord raconté cette histoire à sa mère avant d'apprendre la mort de son ami, mais malheureusement, cette dernière mourut avant que la Société fasse son enquête, de sorte que ce témoignage important fut perdu. Néanmoins, les chercheurs purent travailler sur des cas pour lesquels de tels témoignages étaient encore disponibles. Ainsi, dans certains cas, l'apparition avait été observée par plus d'une personne, comme dans l'exemple qui suit :

« Il y a de cela quelques années, alors que j'habitais Woolstone Lodge, à Woolstone dans le Berkshire, où mon mari était ecclésiastique, je laissai ma famille au coin du feu un soir après le repas afin de voir si notre bonne allemande avait réussi à obtenir d'une petite sauvageonne de Cornouailles qu'elle prépare sa salle d'étude pour le lendemain. Alors que je parvenais en haut de l'escalier, ma cousine, qui avait pris congé de nous quelque temps auparavant, passa près de moi. Elle était vêtue de soie noire et portait un «nuage» de mousseline qui descendait sur ses épaules, mais ses habits de soie froufroutaient. Je ne réussis à apercevoir que son visage. Elle passa près de moi en hâte, sans un bruit (hormis le froissement de la soie), et disparut après avoir descendu deux marches qui se trouvent à l'extrémité d'un long passage menant uniquement dans mon boudoir et dépourvu d'autre issue. Je m'étais à peine exclamée : «Oh, Caroline», que je sentis que quelque chose n'était pas normal en elle; je regagnai précipitamment le salon, où je m'évanouis en tombant à genoux aux côtés de mon époux. Je ne repris mes esprits qu'à grand-peine. Le lendemain matin, je compris que tous se moquaient de moi, mais je découvris par la suite que la jeune

fille de la nursery, au moment où elle nettoyait l'âtre, avait été effrayée par la même apparition, celle d'une dame assise près d'elle, vêtue de noir, la tête et les épaules couvertes de blanc, les mains croisées sur la poitrine. Rien au monde ne pouvait la convaincre de retourner dans cette pièce.
On m'avait caché cette histoire la veille, craignant que cela éprouverait davantage mes nerfs. Cependant, plusieurs de nos voisins nous rendirent visite le lendemain matin, dont M. Tufnell, de Uffington, près de Faringdon, l'archidiacre Berens, M. Atkins, d'autres encore. Tous parurent particulièrement intéressés. M. Tufnell insista pour noter les détails dans son carnet et me fit promettre d'écrire le soir même à ma cousine, Mme Henry Gibbs, afin de recueillir des renseignements. Elle venait de passer quelques jours chez nous, et j'avais dans mon serre-papiers une lettre qui lui était destinée et que je n'avais pas encore terminée.

J'écrivis sur-le-champ à mon oncle (le révérend C. Crawley, de Hartpury, près de Gloucester,) et à ma tante, pour leur narrer ce qui s'était produit. Par retour du courrier, ces mots : «Caroline est très malade à Belmont et ne survivra sans doute pas à sa maladie.» Caroline avait trépassé le jour même de sa visite. Le choc était excessif pour une personne trop fragile, et je fus un des seuls membres des familles Crawley et Gibbs qui ne purent assister aux funérailles. »

Par chance, un des témoins non impliqués dans l'affaire était encore en vie et fut à même de confirmer devant les enquêteurs de la S.P.R. toute cette série d'événements. Le fait que les apparitions semblaient être d'authentiques phénomènes paranormaux intriguait excessivement les fondateurs de la S.P.R., qui se demandaient si elles constituaient des preuves que l'homme possède une âme sortant du corps au moment de la mort. De prime abord, cela semblait une position défendable, mais lorsqu'ils commencèrent à examiner leurs données en détail, leur certitude perdit de sa force.

La nature des apparitions

Un long débat au sujet de la nature des apparitions occupa le devant de la scène de la recherche métapsychique au moment de la publication par Edmund Gurney, F. W. . Myers et leur collègue Frank H. Podmore de leur étude en deux volumes, Phantasms of the Living (Fantasmes des vivants). Cet ouvrage était la première entreprise d'importance de la Société, mais il apparut que ces brillants chercheurs n'arrivaient pas à s'accorder au sujet de la nature des fantasmes... et encore moins pour déterminer s'ils représentaient le surgissement de l'âme hors du corps. Edmund Gurney avait rédigé la plus grande partie de Phantasms... Fasciné qu'il était par la télépathie, il ne pouvait se défaire de l'idée que les apparitions résultaient d'une forme de transmission de pensée. Il faisait remarquer que, fondamentalement, les apparitions semblent peu différer des images que certaines personnes «voient» au cours de la réception de messages télépathiques. Cela le conduisit à suggérer que les apparitions peuvent se réduire à des formes d'images mentales beaucoup mieux extériorisées. Il s'agissait là d'une prise de position radicale, mais Gurney justifiait son opinion tant empiriquement que théoriquement. Il faisait remarquer que les apparitions ne semblent pas être des entités matérielles. Ses données indiquaient qu'elles ne laissent jamais rien derrière elles, qu'elles apparaissent et s'évanouissent sans laisser de trace, qu'elles peuvent passer au travers des murs et se présentent généralement revêtues d'habits de tous les jours. Il semblait s'agir là d'indices révélateurs d'immatérialité. Il arrive même, continuait Gurney, que les apparitions se manifestent habillées comme les témoins s'attendraient à ce qu'elles le soient, ce qui indiquerait que ces personnages seraient partiellement construits par l'intellect des témoins eux-mêmes.

Ce n'était toutefois pas là le fin mot sur les apparitions, puisque F. W. . Myers s'opposa rapidement à son collègue. Il objecta que l'existence d'apparitions perçues collectivement démontrait qu'elles possédaient, au moins partiellement, une réalité objective. Selon lui, une apparition se manifeste lors-

qu'un aspect de l'organisme d'un mourant se projette dans l'espace et s'extériorise dans le lieu éloigné. Il se pourrait que ce qui se manifeste ne soit donc pas purement physique au sens objectif, mais représente une invasion métapsychique partielle de l'endroit où il se présente.
Edmund Gurney ne pouvait se rendre à cet argument de Myers réhabilitant l'idée que les apparitions sont des phénomènes objectifs. Aussi entreprit-il de contre-attaquer en suggérant que les apparitions perçues collectivement se produisent au moyen d'une «infection télépathique des témoins».

Tandis que les deux camps échangeaient ces arguments, d'autres chercheurs de la S.P.R. tentaient de reproduire l'étude qui avait donné lieu à la publication de Phantasms... Ceci fut entrepris en 1889, par un questionnement de la population anglaise au sujet de ses expériences métapsychiques, les conclusions étant publiées en 1894 sous le nom de Recension des hallucinations. Les récits d'apparitions en temps de crise s'imposèrent une fois de plus, certains cas étant même plus significatifs que ceux cités dans Phantasms...

Les phénomènes d'apparition après la mort

En dépit de la découverte de tant de cas nouveaux, il apparut que le débat concernant la nature des apparitions se dirigeait vers une impasse. Cette situation amena des chercheurs de la Société à étudier les phénomènes d'apparition après la mort, c'est-à-dire les fantômes aperçus bien après le décès de leurs agents. Au travers de ces études, la S.P.R. découvrit des cas où les apparitions se manifestaient et transmettaient même des informations correctes aux témoins. Dans d'autres cas, les fantômes paraissaient animés du désir d'atteindre un but ou d'accomplir une intention qui les avaient rongés de leur vivant.
Quelques cas classiques de maisons hantées se présentèrent également, mais ils étaient beaucoup moins nombreux que les apparitions en temps de crise, si bien que les chefs de file de

la Société doutaient fort de leur valeur. F. W. Myers les étudia en détail et conclut qu'elles représentaient «...une manifestation persistante d'énergie personnelle.» Il fut toutefois critiqué de façon acerbe par Frank Podmore. Ce dernier, qui devait devenir le sceptique attitré de la Société, fit remarquer que la plupart des apparitions après la mort ne traduisaient que très rarement la présence d'une véritable personnalité. Il préférait croire que ces récits étaient faux, ou bien que les apparitions étaient dues au propre cerveau des témoins (quoique peut-être en réponse à la réception d'informations métapsychiques).

Les médiums et la survie

Le grand débat né au sein de la S.P.R. au sujet de la nature des apparitions occupa le groupe de Cambridge des années 1880 jusqu'au cœur de la décennie suivante. Bien qu'il ait été possible de conclure à l'existence de la survie à partir de leurs données, ces études de cas ne représentaient pourtant pas le type de preuves indéniables de l'immortalité qu'on recherchait, de sorte que les membres du groupe commencèrent à modifier l'orientation de leurs efforts. Cette façon plus ouverte d'aborder le problème de l'après-vie les ramena vers le mouvement spiritualiste, en dépit de leur répugnance à l'égard des falsifications qu'ils savaient régner dans ses rangs. Les fondateurs de la S.P.R. avaient tous étudié les médiums spiritualistes au début de leurs recherches, mais leurs conclusions ne les satisfaisaient guère.

Ils furent cependant encouragés à poursuivre dans cette voie lorsqu'un brillant et estimé psychologue et philosophe de Harvard, William James, les contacta en 1885, porteur d'une nouvelle stupéfiante : il prétendait avoir découvert une authentique médium, par le biais de laquelle il avait parlé avec des membres décédés de sa famille. Il n'était pas possible de ne pas prêter attention au témoignage d'une personne dotée d'un esprit aussi critique, si bien qu'un nouveau chapitre de la quête de preuves de la survie s'ouvrit pour la Société.

Le cas Piper

Mme Leonore Piper n'était pas à proprement parler l'exemple typique d'une spiritualiste. C'était une femme mariée de la bourgeoisie de Boston, qui avait mené une existence commune. Elle n'entra en contact avec le mouvement spiritualiste qu'après avoir subi des problèmes médicaux consécutifs à un accident. Son beau-père lui avait suggéré de consulter un voyant de Boston afin qu'il lui conseille un traitement. C'est à l'occasion de la première séance que quelque chose d'étrange se produisit. Ultérieurement, Mme Piper fit le récit suivant : «Tandis que j'écoutais le médium, son visage parut râpetisser, comme s'il s'éloignait, jusqu'à ce que je perde conscience de ce qui m'entourait.» Apparemment, elle était entrée spontanément en état de transe, ce qui la surprit puisqu'elle n'avait auparavant jamais accordé le moindre intérêt au spiritualisme ou au spiritisme. Malgré tout, elle se mit à fréquenter les séances organisées par le docteur Cocke, pour bientôt découvrir qu'elle aussi avait la faculté d'entrer en transe. En peu de temps, elle devint le centre d'intérêt de la communauté spiritualiste : durant ses transes, ses clients semblaient à même d'entrer en contact avec leurs amis et parents défunts.

Mme Piper n'avait que 25 ans à l'époque : si un heureux hasard n'était alors intervenu, ses facultés médiumniques naissantes n'auraient sans doute pas attiré l'attention des scientifiques. En effet, la belle-mère de William James entendit parler d'elle, lui rendit visite et fut tellement impressionnée par la performance de la jeune medium qu'elle la signala à l'attention de James. Peu de temps après, ce dernier et son épouse se rendirent chez Mme Piper et furent stupéfaits de la précision des messages qu'ils reçurent.

James assista à diverses séances, en 1885 et 1886; plusieurs des événements dont il fut le témoin l'impressionnèrent particulièrement. Lors de l'une d'entre elles, par exemple, le psychologue et son frère apprirent que leur tante (qui vivait à New York) venait de mourir la nuit précédente à minuit et demi, événement qu'ils ignoraient. James écrivit par la suite : «En arrivant à la maison une heure plus tard, je trouvai le télégramme suivant : «Tante Kate décédée peu après minuit. »

La Société fut bien entendu très impressionnée par de tels récits, si bien qu'elle décida de passer à l'action en 1887 en envoyant à Boston un de ses chercheurs les plus critiques, Richard Hodgson, avec mission d'étudier ce cas et de remettre un rapport. Richard Hodgson était un enquêteur perspicace et d'un scepticisme inflexible, mais il était également passionnément attaché à la recherche métapsychique. Il prit le bateau pour Boston et finit par consacrer les 18 années suivantes à l'étude des dons de médium de Mme Piper. Richard Hodgson était venu aux États-Unis pour prendre la direction de la division américaine de la S.P.R., que William James avait aidé à organiser. Son premier projet de grande envergure fut de prendre l'entière responsabilité du cas Piper. Il avait décidé de choisir les participants aux séances, d'examiner les antécédents de la jeune femme et de s'assurer qu'elle n'étudiait pas secrètement ses clients (pour ce faire, il alla jusqu'à la faire suivre par des détectives privés). Il insista également pour qu'elle ne connaisse pas l'identité de la plupart des participants qu'il choisissait. En dépit de ces moyens de contrôle impressionnants, les qualités de médium de Mme Piper restèrent évidentes et impressionnantes. Elle se contentait de s'asseoir avec le client, subissait de légères convulsions et entrait en transe; en quelques instants, une étrange entité qui disait se nommer «docteur Phinuit» parlait par sa bouche et se conduisait en maître de cérémonies pour la séance Hodgson ne fut jamais vraiment impressionné par le docteur Phinuit dans la mesure où il ne parlait pratiquement pas le français (Hodgson jugeait que le nom de Phinuit avait une consonan-

ce française) et qu'il ne put jamais apporter aucune précision crédible sur sa vie terrestre.
En fait, selon Hodgson, il semblait s'agir d'un dédoublement de la personnalité de Mme Piper. Mais en dépit de ces doutes, Phinuit communiquait souvent de façon brillante d'authentiques messages.

Hodgson raconta par la suite que lors de sa première séance chez Mme Piper, le docteur Phinuit avait réussi à décrire et à faire communiquer certains de ses propres amis disparus. L'esprit contrôleur mentionna en particulier un vieil ami d'enfance de Hodgson, dont le nom fut précisé. «Il dit que vous êtes allés à l'école ensemble, expliqua Phinuit. Il parle du jeu de saute-mouton et éclate de rire. Il déclare qu'il vous surclassait jadis. Il a eu des convulsions avant son agonie. II est parti dans une sorte de spasme. Vous n'étiez pas là.» Toutes ces informations relativement insignifiantes étaient exactes, de sorte que Hodgson fut convaincu qu'il était là en présence d'un cas potentiellement historique.

Les communications qui suivirent celles de son vieil ami l'impressionnèrent encore davantage. Natif d'Australie, Hodgson était tombé amoureux d'une jeune femme bien des années avant son départ pour l'Angleterre. Il ne devait pourtant pas se marier, la jeune personne s'étant éteinte de nombreuses années avant ces séances. Il fut stupéfait lorsque Phinuit commença à la décrire et qu'il lui transmit plusieurs messages très personnels, ce qui le convainquit plus que toute autre chose que Mme Piper était une authentique medium.

Malgré ces témoignages saisissants, le docteur Hodgson n'était pas certain qu'il communiquait véritablement avec les morts, mais, en vérité, les messages semblaient parvenir d'outre-tombe. Il passa plusieurs mois à contrôler les séances d'autres clients dont les expériences personnelles les conduisaient à la même conclusion. Néanmoins, comme nombre des

fondateurs de la Société, Hodgson devint la proie du même vieux débat entre les tenants de la télépathie et ceux de la communication avec les esprits, débat qui rendait difficile l'étude des apparitions. En effet, il paraissait raisonnable de penser que les messages de Mme Piper provenaient bien de l'au-delà, mais il était tout aussi possible qu'elle lise dans les pensées de ses clients et y trouve les informations pertinentes. Selon le raisonnement de Hodgson, ces informations pouvaient être utilisées pour construire une représentation parfaite (mais fausse) des trépassés.
Cet argument était tentant puisque l'esprit contrôleur de Mme Piper semblait faux lui aussi, si bien qu'il était aisé de conclure que tous les esprits qui communiquaient régulièrement par sa bouche étaient également issus de son cerveau. C'est cette opinion que Hodgson retint tout d'abord, et qu'il exposa dans sa première publication majeure sur ce cas.

Il n'était pas le seul à recevoir de tels messages, puisque bon nombre des clients qu'il choisissait à Boston lui faisaient part de résultats du même ordre. En conséquence, Hodgson et ses collègues décidèrent que Mme Piper devait se rendre en Angleterre et se produire devant les fondateurs de la Société eux-mêmes, ceci afin de la tester dans des conditions plus rigoureuses et l'examiner personnellement. Ce voyage permettrait également aux chercheurs de s'assurer qu'elle ne se renseignait pas secrètement sur les antécédents de ses clients, dans la mesure où elle n'avait jamais traversé l'Atlantique auparavant et ne pourrait donc rien savoir de ses nouveaux clients. Ces derniers seraient bien sûr les chercheurs eux-mêmes.

Mme Piper prit le bateau pour l'Angleterre en 1889; elle fut accueillie par F. W. Myers et Oliver Lodge, physicien influent de l'université de Liverpool et chef de file de la Société, qui contrôlèrent soigneusement tout ce qu'elle faisait et allèrent jusqu'à ouvrir son courrier, avec son accord, afin de s'assurer que personne ne lui faisait parvenir d'informations. En dépit de ces embarras, elle tint pour la S.P.R., tant à Liverpool qu'à Cambridge, des séances qui connurent un succès exceptionnel. II est impossible d'entrer ici dans le détail de ces séances cruciales. Lodge fut sans doute celui que Mme Piper impressionna le plus, ce qui est partiellement dû à ses propres expériences avec la jeune femme, qui vécut quelque temps chez lui.6Le rapport qui suit a été rédigé par Lodge à propos d'un événement qui se produisit lors d'une des premières séances. Il ne faut pas oublier qu'il s'agit là d'un seul épisode d'une session beaucoup plus longue.

« II se trouve qu'un de mes oncles, qui vit à Londres, un vieil homme à présent et l'un des trois survivants d'une famille très nombreuse, avait un frère jumeau qui mourut voici près de 20 ans. J'éveillai son attention sur ce sujet et lui écrivit pour lui demander s'il acceptait de me prêter quelque souvenir de son frère.
La poste m'apporta un matin une curieuse montre en or que ce frère avait portée et qu'il aimait beaucoup. Le jour même, sans que personne dans la maison ne la voit ou ne sache rien à son sujet, je la confiai à Mme Piper qui était en état de transe. Je m'entendis dire presque instantanément qu'elle avait appartenu à un de mes oncles, qui avait beaucoup d'affection pour mon oncle Robert, qui possédait à présent cette montre. Après quelques problèmes et de nombreux essais infructueux, le docteur Phinuit perçut le nom de mon oncle décédé, Jerry, diminutif de Jeremiah, et dit avec force, comme si une tierce personne parlait : «C'est ma montre, et Robert est mon frère, et je suis là, oncle » Etant ainsi entré en contact d'une manière mal définie avec quelqu'un qui se présentait comme un parent défunt, que j'avais rencontré vers la fin de sa vie alors qu'il était aveugle, mais dont je ne connaissais rien de la jeunesse, je lui indiquai que pour manifester sa présence, il conviendrait de rappeler des détails de son enfance que je me faisais fort de rapporter à son frère Robert.

Cette idée le séduisit tout à fait, si bien qu'à l'occasion de nombre de séances il demanda expressément au docteur Phinuit de mentionner un certain nombre de petits détails qui permettraient à son frère de le reconnaître.
«L'oncle Jerry» se rappela plusieurs épisodes, notamment être allé nager dans la crique lorsqu'ils étaient enfants, au risque de se noyer, avoir tué un chat dans le champ de Smith, avoir eu un petit fusil et une longue peau bizarre, comme celle d'un serpent. Ces faits ont tous été presque totalement vérifiés.»

L'hypothèse de la télépathie

Le seul problème posé par ce type de preuve tient au fait que Mme Piper aimait tenir les mains de ses clients. Certains sceptiques émirent l'objection qu'il était possible que la personne communique des informations au médium en produisant d'imperceptibles contractions musculaires, ceci de façon inconsciente. Andrew Land, pionnier dans les domaines de l'anthropologie et du folklore, et membre de longue date de la Société, se fit le champion de cette idée. Aussi engagea-t-il à ce sujet un long débat avec Lodge dans les publications de la S.P.R. Land considérait Mme Piper avec scepticisme, mais il reconnut en fin de compte qu'il était impossible de contester la référence à la «peau de serpent» rapportée ci-dessus.

Plusieurs des membres les plus importants de la Société furent à même de travailler avec la médium pendant son séjour. Ils rédigèrent un rapport collectif qui aboutissait à quatre conclusions principales :

1. Il n'y avait pas lieu de suspecter la bonne foi ou l'honnêteté de Mme Piper ;
2. Le docteur Phinuit était probablement une personnalité secondaire du cerveau de la médium;
3. Cette entité «trompait son monde» au cours de certainesséances ;
4. Cependant, dans ses bons jours, elle pouvait communiquer une énorme quantité d'éléments de preuve.

Les chercheurs de la S.P.R. refusèrent toutefois de se prononcer sur la provenance de ces messages, car il s'agissait d'une question qui les divisait profondément. Nulle autre théorie que la sienne n'intéressait Sir Oliver Lodge, mais l'hypothèse de la télépathie en tant que source des communications de Mme Piper avait la faveur de quelques chercheurs. Même si les chefs de file de la Société n'arrivaient pas à s'accorder sur l'origine des communications de Mme Piper, ils ne cessèrent pas d'étudier ses impressionnantes facultés. Elle rentra à Boston en 1890 et se remit à travailler sous les auspices de Hodgson.

Bien que les raisons n'en soient pas claires, il semble que ses dons de médium gagnèrent en qualité. De fait, certaines des séances furent si fascinantes que l'hypothèse de la télépathie dut être poussée à ses limites pour en rendre compte. Le révérend Sutton et son épouse partageaient sans doute cette opinion lorsqu'ils commencèrent à participer aux séances de Mme Piper en 1893. Ils espéraient ainsi entrer en contact avec leur fille Katherine, morte six semaines auparavant.

Les Sutton se présentèrent avec un sténographe comme le leur avait conseillé le docteur Hodgson, si bien que nous avons encore de nos jours la transcription complète de ce qui se déroula lors de la séance cruciale du 8 décembre.

Ce jour-là, plusieurs défunts de la famille des Sutton, dont leur fille, parlèrent par l'entremise de Mme Piper. Cette séance est si importante pour comprendre la psychologie du médium qu'une version en est reproduite ci-dessous.

« Au tout début, Mme Piper se saisit des mains du sténographe. Elle entra bientôt en transe, puis Mme Sutton prit les mains du médium dans les siennes. Il ne fallut pas très longtemps à l'énigmatique docteur Phinuit pour mettre leur fille en communication. Il commença pratiquement la séance par les mots «Le contact est établi avec une enfant ». Les Sutton entendirent ensuite l'esprit contrôleur faire venir l'enfant à lui

à force de cajoleries, puis s'exprimer comme s'il était leur fille. C'était typique de sa manière de parler par procuration.
On reçut d'autres messages, Kakie faisant référence à sa sœur métapsychique Eleanor par son nom. Puis, à la grande surprise des Sutton, l'esprit commença à chanter une chanson qui lui avait été chantée avant sa mort. Le petit esprit demanda à ses parents de chanter avec elle, et le couple s'exécuta. Tandis qu'ils chantaient, ils entendaient une petite voix d'enfant sortir de la bouche du médium, qui prononçait bien toutes les paroles de la chanson avec eux. La séance ne reprit qu'une fois que deux refrains eurent été chantés. Ensuite, l'enfant chanta, par la bouche du médium en transe, une autre chanson qu'elle avait apprise de son vivant. Il semblait en fait que l'enfant parlait directement par la bouche de Mme Piper et n'utilisait plus le truchement de l'esprit de contrôle. Ce qui impressionna le plus les Sutton fut que ces chansons étaient les deux seules que l'enfant connaissait bien.

Devant une telle abondance de preuves, Hodgson se prit à douter de l'idée que la télépathie puisse expliquer les messages de Mme Piper. Même le personnage du docteur Phinuit, contestable mais attendrissant à sa manière, commença à faire ses preuves. Mais ce ne fut que lorsqu'un des amis de Hodgson mourut et commença à communiquer par le truchement de Mme Piper que ce dernier changea tout à fait d'opinion au sujet de ses dons de médium. Cette évolution se produisit en 1892, durant une étape décisive de la vie du médium.

Avant 1892, les dons médiumniques de Mme Piper présentaient deux caractéristiques : elle livrait toujours ses messages en état de transe, état qui s'accompagnait de convulsions et de spasmes. Il s'agissait là de l'époque où dominait la personnalité toujours présente métapsychique du docteur Phinuit, ce que déploraient ceux des chercheurs qui considéraient qu'il n'était rien d'autre qu'une sous-personnalité de la medium.

Or, en 1892, sous les conseils de Hodgson, Mme Piper commença à avoir recours à l'écriture automatique, qui prit bientôt le pas sur les messages livrés en état de transe. La transition à cet état se fit également plus douce et plus aisée.

La principale modification de l'état de transe se produisit cependant avec l'apparition d'une nouvelle entité qui remplaça le docteur Phinuit dans le rôle d'esprit de contrôle de la médium. George Peliew (que Hodgson appela «George Pelham» dans tous ses écrits sur ce cas) était un jeune ami du chercheur, qui se préoccupait de philosophie. Avant son décès, il avait eu l'occasion d'assister à une séance de Mme Piper et les problèmes de médiumnité en état de transe l'intriguaient. Sa mort par accident survint en 1892 et il ne fallut pas attendre très longtemps pour qu'il se mette à communiquer par la bouche de Mme Piper. Il prit rapidement le contrôle total de ses états de transe.

L'entité Pelham

Ce nouvel esprit de contrôle annonça également une nouvelle dimension pour les dons médiumniques de Mme Piper : ils se dispersaient moins et apportaient des preuves de façon plus convaincante.

Hodgson utilisa aussi le personnage de Pelham pour mettre à l'épreuve les fondements spirites de la médiumnité. Pendant les mois suivants, il fit intervenir 150 nouveaux clients pour les séances, dont 30 avaient connu Pelham de son vivant. L'esprit de contrôle réussit à reconnaître 29 d'entre eux; sa seule défaillance se produisit lorsqu'il ne put reconnaître une jeune femme qu'il n'avait rencontrée que dans son enfance. La plupart des personnes purent parler à l'entité Pelham et évoquer des souvenirs comme s'il avait été présent en chair et en os; la qualité de ces conversations en état de transe est du même ordre que celle des séances avec les Sutton. Hodgson fut tant impressionné par cette nouvelle personnalité qu'il publia un nouveau rapport sur Mme Piper en 1898, dans

lequel il exposait les raisons pour lesquelles il s'était converti à la théorie spirite.
Le reste de l'histoire de ce médium n'est pas moins imposant ou spectaculaire. Mme Piper subit d'autres changements de contrôle et, lorsque le docteur Hodgson mourut soudainement en 1905, il communiqua par son intermédiaire. Les dons de médium de Mme Piper commencèrent à décliner en 1911, puis elle perdit totalement la faculté qu'elle avait d'entrer en transe - son écriture automatique continua toutefois pendant quelques années. Elle tint des séances métapsychique jusque dans les années 20, et disparut en 1950.

Il peut sembler à présent que les arguments en faveur de la survie pouvaient se baser sur le cas de ce médium, mais malgré une telle accumulation de preuves, certains membres de la vieille garde de la Société pour la recherche métapsychique conservaient leur attitude sceptique envers l'hypothèse spirite. Ainsi, il apparut que plusieurs «communicants» étaient des personnages fictifs, et même les spirites les plus crédibles, qu'on aurait pu imaginer plus avertis, soutenaient la thèse de la légitimité de ces personnages qui, à l'évidence, étaient fictifs. En dépit du fait que la philosophie était un sujet qui lui tenait à cœur de son vivant, la personnalité de Pelham, pour qui tous avaient de la considération, ne réussissait pas à parler correctement de ce sujet par le truchement de Mme Piper. C'était donc dans l'espoir de clarifier certaines de ces interrogations que la S.P.R. était constamment à la recherche de nouveaux médiums véritablement doués. Il est certain que cette évolution était en un sens imprévue, puisque nombre des fondateurs de la Société commençaient à disparaître. Il incombait à présent à une nouvelle génération de chercheurs de poursuivre leur œuvre.

Les correspondances croisées

F. W. Myers mourut en 1901, un an après le professeur Henry Sidgwick. Quant à Gurney, il avait disparu tragiquement quelques années auparavant, ayant peut-être mis fin à ses jours. La direction de la Société pour la recherche métapsychique incomba dès lors à une équipe de jeunes intellectuels menée par Alice Johnson, protégée de la femme de Sidgwick, et par J. G. Piddington, avocat d'une grande érudition qui se consacra bientôt entièrement à la recherche métapsychique. Ces chercheurs se lancèrent dans l'étude du cas de Mme Piper, mais ils commencèrent également à travailler avec plusieurs autres médiums qui avaient fait leur apparition entre-temps. Les plus importants d'entre eux étaient Mme Margaret Verrall, femme d'un professeur de Cambridge, et sa fille Helen. Toutes deux connaissaient bien les travaux de la S.P.R. avant d'avoir acquis leurs dons médiumniques. La Société s'intéressa à l'écriture automatique de la sœur de Rudyard Kipling, qui vivait en Inde et qu'ils appelaient Mme Holland dans leurs rapports. En fait, c'est elle qui prit contact avec eux après avoir reçu des messages de l'esprit de Myers. Le dernier membre de ce groupe de nouveaux médiums était une femme appelée Mme Willett dans les rapports; elle était sans conteste la plus douée de tous. Ce n'est que des années après sa mort qu'il fut révélé qu'il s'agissait de Mme Winifred Coombe-Tenant, femme politique de tout premier ordre à l'époque. Ce fut une grande chance pour la Société d'avoir trouvé autant de médiums de talent, car les membres défunts étaient eux-mêmes désireux d'établir la communication.

Rien d'étonnant à ce que ces chercheurs éminents aient tenté d'entrer en contact avec leurs collègues, mais c'est la nature de leurs communications qui était surprenante. En effet, il arrivait qu'un medium travaillant seul à la maison note un message sans signification apparente, mais qui semblait correspondre à ce qu'un des autres écrivait quasiment au même moment. Par ailleurs, les messages paraissaient fréquemment provenir de l'esprit de Myers. Piddington et Johnson se rendirent rapidement compte que d'étranges «puzzles» étaient transmis par les textes, car lorsqu'ils étaient mis ensemble, un message très important était énoncé. Ces énigmes, qu'on appela «correspondances croisées», représentent un chapitre primordial des publications consacrées à la médiumnité. Cette situation dura pendant de longues années : il semblait que Myers était en train de trouver un moyen pour prouver la réalité de la survie aux collègues qu'il avait laissés derrière lui.

Certaines de ces correspondances croisées devinrent éminemment complexes; Myers avait l'habitude de tirer ses références et citations des classiques grecs et latins et la plupart des médiums ne connaissaient pas ces œuvres. Myers, lui, avait été un expert en la matière, de sorte que son choix était certainement délibéré.

Les Médicis

L'un des cas les plus aisés à suivre est celui des tombeaux des Médicis, que celui qui se présentait comme Myers communiqua en 1906 par le truchement de plusieurs sujets sensibles de la Société. Les correspondances croisées se manifestèrent l'année où Mme Holland se trouvait en Angleterre. Certaines de ses transcriptions de cette période recelaient des messages faisant allusion à la mort, au sommeil, aux ténèbres, à l'aube, au crépuscule et au matin. Aucun indice quant à la signification de ces thèmes n'était fourni, hormis l'adjonction du nom de «Margaret» (Verrait). Ces allusions sibyllines donnèrent immédiatement à penser qu'il s'agissait d'un cas de correspondance croisée, de sorte que lorsqu'ils apprirent l'existence de ces textes, Alice Johnson et Piddington commencèrent à vérifier ceux que les autres médiums leur envoyaient. Et puisque Mme Piper se trouvait également en Angleterre à cette époque, J. G. Piddington la rencontra dans les mois qui suivirent. C'est à cette occasion qu'elle sortit de sa transe en prononçant : «Tête métapsychique de Maure : du laurier pour du laurier. Je dis de lui donner pour du laurier. Adieu.» Elle vit aussi l'apparition d'un Noir. Comme il ne disposait d'aucun élément qui puisse éclairer sa lanterne, Piddington tint une nouvelle séance avec Mme Piper le lendemain. Là, Myers communiqua directement et expliqua comment il était possible de trouver la clé de ces messages en examinant les textes de Mme Verrall (Il faut se souvenir qu'il était fait allusion à ce même message dans les textes de Mme Holland.) Il s'avéra que l'esprit de Myers se trompait quelque peu, puisque les allusions suivantes apparurent dans les textes de Mme Verrall écrits à Cambridge. En effet, elle compléta le thème du laurier en écrivant un jour : «Le tombeau d'Alexandre : des feuilles de laurier, un emblème, des lauriers pour le front du vainqueur.» Mme Holland était elle aussi sous l'influence de l'esprit de Myers, car peu après l'arrivée des textes de Mme Verrall, sa main écrivit un soir : «Ténèbres, lumières, ombres, la tête d'Alexandre Maure.» Il faut signaler ici qu'aucun des médiums n'était en contact.

Il semble ne faire aucun doute que tous ces messages aient été liés, même s'il se peut fort bien qu'ils ne veuillent rien dire pour un lecteur d'aujourd'hui. Mais les chefs de file de la Société connaissaient bien la littérature et l'histoire classiques, de sorte que les allusions étaient pour eux gorgées de sens. L'ultime clef leur parvint quand Mme Willett prit contact avec eux pour leur faire part de certaines pages de son écriture automatique, qui contenaient les mots suivants : «Le tombeau de Laurent, Aube et Crépuscule.»

Il était manifeste à présent que tous ces messages faisaient référence aux Médicis en Italie. J. G. Piddington expliqua dans son rapport sur ces correspondances croisées que le laurier était l'emblème de Laurent le Magnifique, l'un des patriarches de la famille. D'autres symboles gravés sur les sépultures des membres de la famille représentent l'aube et le crépuscule. L'allusion à Alexandre n'était pas plus déconcertante : l'un des Médicis avait pour nom Alexandre.
Surnommé «Le Maure» parce qu'il était mulâtre, ce fils illégi-

time de Laurent avait été enterré secrètement dans le tombeau des Médicis.

En conséquence, l'une des interprétations de ce cas repose sur l'hypothèse selon laquelle le défunt Myers aurait eu recours à ses connaissances des tombeaux pour introduire un «puzzle littéraire» dans les textes des médiums. Il s'agissait là d'un type d'information que Myers connaissait bien, mais qui prenait en défaut la culture de certains des médiums.

Le cas du tombeau des Médicis est en fait relativement simple et concis. En effet, d'autres correspondances croisées étaient bien plus complexes - il fallut des années d'efforts pour en résoudre le mystère.
Le summum fut probablement atteint en 1906 alors que Mme Piper se trouvait toujours en Angleterre. Durant l'une des séances, Piddington fit transmettre à l'esprit de Myers un message tout particulièrement construit pour cette occasion. Il expliqua à Myers par le truchement de Mme Piper les points suivants : «Nous sommes conscients du procédé des correspondances croisées que vous nous transmettez par plusieurs médiums, et nous espérons que vous continuerez. Essayez de donner à A et B deux messages distincts, entre lesquels nous ne pourrons déceler aucun rapport; puis donnez aussi rapidement que possible un troisième message à C, message qui révèlera les suggestions cachées.» Il proposa également que Myers indique ses allusions aux correspondances croisées en signant les textes appropriés d'un triangle inscrit à l'intérieur d'un cercle.

Or, ce message avait ceci d'inhabituel qu'il fut lu au médium en transe dans le latin de Cicéron. Il va de soi que Mme Piper n'entendait rien au latin, et encore moins à un dialecte aussi abscons, mais cette langue était parfaitement connue de Myers de son vivant, de sorte que les esprits contrôles réagirent au message en disant qu'ils comprenaient.

Il ne fallut que quelques semaines au défunt Myers pour énoncer cette correspondance croisée complexe. Entre le 17 décembre et le 2 janvier, des allusions aux thèmes des étoiles, de l'espoir et de la poésie de Robert Browning commencèrent à surgir dans les textes de Mme Verrall et de sa fille. Ces allusions ne signifiaient rien pour Piddington, jusqu'à ce qu'il reçoive, lors d'une séance avec Mme Piper à Londres, un message qui lui enjoignait de «guetter l'Espoir, l'Étoile et Browning». Les allusions prirent alors tout leur sens quand Piddington lut des ouvrages consacrés à Browning et découvrit que la correspondance croisée avait trait aux thèmes contenus dans son poème Abt Vogler. Ces correspondances continuèrent pendant des années, puis se tarirent progressivement dans les années 1910. Les chefs de file de la Société pour la recherche métapsychique les considéraient comme des preuves très convaincantes de la survie, bien qu'elles soient extrêmement problématiques pour le chercheur moderne dans la mesure où elles requièrent une grande érudition classique pour être pleinement appréciées.

Dans ses écrits de 1972, le docteur Robert Thouless, psychologue anglais expert des questions concernant l'après-vie, alla jusqu'à commenter : «S'il s'agissait là d'une expérience conçue dans l'au-delà, selon moi elle a été très mal conçue. En effet, elle a donné lieu à une masse de documents dont il est très difficile de dire s'ils constituent des preuves et sur lesquels les opinions ne s'accordent pas.»
Le jugement du docteur Thouless est un peu sévère, mais il se fait l'écho de nombre de chercheurs de notre époque. Il est toutefois important de noter que ceux des chercheurs qui étudièrent le plus en profondeur les correspondances croisées en vinrent à les considérer comme des éléments de preuve de la survie très solides, voire irréfutables. Une exception notable fut Frank Podmore, dont le scepticisme l'amena à penser que la télépathie entre les sujets sensibles pouvait expliquer les correspondances croisées. Son attention se porta tout particu-

lièrement sur Mme Verrall comme source des messages, dans la mesure où de tous les médiums, elle seule connaissait bien ses classiques.

Mme Leonard

Le déclin des dons de médium de Mme Piper et des correspondances croisées en général après 1910 ne fit cependant pas obstacle à la recherche métapsychique en Grande-Bretagne. En fait, une page était tournée. Les chercheurs devenaient plus mûrs et prenaient conscience du fait qu'ils avaient besoin d'adopter de nouveaux angles dans leur exploration de la nature de la médiumnité. Cette occasion leur fut donnée en 1915, lorsque Sir Oliver Lodge attira l'attention de la Société sur une autre grande médium. Il s'agissait d'une Anglaise dotée d'un esprit contrôle nommé Feda qui prétendait être originaire de l'Inde où elle était morte enfant. Aussi invraisemblable que cela ait pu paraître, la recherche métapsychique organisée se consacra à cette médium pendant les deux décennies qui allaient

Née en 1882, Mme Gladys Osborne Léonard avait été sujette dans son enfance à des visions et à des rencontres surnaturelles, mais comme cela se produit pour de nombreux médiums, ses dons ne donnèrent leur pleine mesure qu'après qu'elle eut fait tourner des tables dans le sous-sol du théâtre où elle était actrice. Puis elle connut ses premières transes et, dès 1915, elle était très en vue dans les cercles spiritualistes londoniens.

Cette année-là, un ami de Sir Oliver Lodge et son épouse assistèrent à une de ses séances : ils furent assez impressionnés pour la recommander au physicien. Ayant entendu parler de ses talents, Lodge vint la trouver avec sa femme. Ils reçurent un certain nombre de communications émanant de leur fils, qui était mort à la guerre. La preuve la plus confondante consista en la description détaillée d'une photographie de lui-même avec sa section. Cette photo arriva par la poste quelque temps après la séance.

Lodge s'étant parfaitement familiarisé avec la psychologie des médiums du fait de son implication dans le cas de Mme Piper, ce fut à des chercheurs nouveaux et plus inventifs qu'incomba l'exploration des possibilités que présentaient les dons médiumniques de Mme Leonard.

La personnalité de A.V.B.

La plus célèbre série d'expériences réalisées avec cette dernière fut conduite par Ann Radclyffe-Hall, l'écrivaine de renom qui siégeait au conseil de la Société à cette époque, et par Una Troubridge, qui fut anoblie en 1919. Le principal esprit intervenant durant ces séances était une amie disparue de Mlle Radclyffe-Hall, mentionnée uniquement par ses initiales (A.V..) dans les rapports. Le 19 août, les deux enquêteuses tinrent leur première séance avec Mme Léonard, au domicile de cette dernière; lors de cette séance, Feda indiqua qu'une femme d'une soixantaine d'années désirait communiquer avec elles. Elle leur décrivit également le visage de cette femme et sa coiffure.

Ces indices permirent à Mlle Radclyffe-Hall de reconnaître la source des messages, puisque son amie venait de décéder à 57 ans. La personnalité de A.V. se manifesta encore à la séance suivante. Feda expliqua : «Elle regarde les gens de côté, sans tourner la tête; elle vous regarde de cette façon en ce moment.» C'était là une attitude caractéristique de A.V. de son vivant, si bien que les participants furent fortement impressionnés. Ce qui reste sans doute comme la séance la plus importante de toute la série se tint le 22 novembre. L'entité profita de cette occasion pour communiquer une série de messages ayant trait aux faits et gestes de Mlle Radclyffe-Hall et d'elle-même pendant un voyage qu'elles avaient effectué aux îles Canaries, décrivant les scènes qu'elles avaient vécues et mentionnant les îles qu'elles avaient visitées. Voici une partie des transcriptions de la séance :

« Feda Connaissez-vous une île qui ne soit pas très éloignée?
A.R.H. Oui, je connais une île.
Feda Elle vient de s'exclamer : «Ile, île, île», elle ne cesse de montrer à Feda des terres entourées d'eau. Elle dit : «Ce sont des terres entourées d'eau.»
Feda Elle dit que cet endroit s'appelle Ter - ter - terre... Oh, Feda a du mal à comprendre, mais elle veut dire que cet endroit s'appelle Ter - te -
non. Feda ne comprend pas, mais cela commence par Te. C'est Tener - Tener - Ten - Ten... Qu'est-ce, Madame? Tener?
A.R.. C'est bien Tener. Feda Teneri - Teneri - ee - ee - ff - ffe - île - Teneri-fer. Elle dit que «fer» ne convient pas, elle dit que Tener est correct, elle dit d'ôter le «er» final et que c'est cela. (Tout bas : Tenerife, c'est Tenerife!) Elle ne cesse de dire une île, c'est une île, répète-t-elle, et elle dit que c'est un bel endroit, elle dit :
«Tenerife!» Vous savez qu'elle a fait passer ça tout d'un coup? Elle a fait semblant d'être exaspérée parce que vous ne compreniez pas. Elle croyait que Feda saisirait l'idée si elle faisait semblant d'être fâchée. À présent, elle dit qu'il y a cet endroit, encore une fois appelé M - Masager - Masager -
A.R.. C'est bien Maza, Feda.
Feda Mazaga - Mazager - Mazagi - Mazagon... (Nous omettons ici plusieurs autres tentatives de Feda pour prononcer le nom, la dernière étant A.R.. Non, Feda, ce n'est pas tout à fait Mazagal. »

Mazagan était le nom d'une ville marocaine que les deux femmes avaient visitée sur le chemin des Canaries. Au cours d'une séance ultérieure, Mlle Radclyffe-Hall posa une question «piège» : elle demanda à Feda (par le truchement du médium en transe) si l'esprit se souvenait du mot «poon». Feda répondit sur-le-champ qu'elle plaisantait et expliqua que ce mot signifiait un «état». Cette réponse correcte encouragea Mlle Radclyffe-Hall à lui demander si elle se souvenait d'un autre mot qu'elles avaient jadis inventé. Feda parut avoir des difficultés à recevoir le mot que lui communiquait l'entité, si bien qu'on en resta là pour le moment. Mais lors de la séance suivante, Feda interrompit soudainement ses propos pour s'exclamer : «Sporkish! Sporkish! Elle dit que c'est l'antithèse de poon.» C'était bien le cas : les deux amies avaient inventé ces expressions en guise de code pour désigner les gens dont elles appréciaient le caractère ou qu'elles trouvaient fâcheux.

Ces séances organisées par Mlle Radclyffe-Hall et Lady Una Troubridge pour contacter A.V. durèrent deux années. L'esprit acquit même la faculté de contrôler directement le médium, qui dès lors s'exprima fréquemment avec les mêmes inflexions de voix que cette femme de son vivant. Cet aspect fascinant des dons médiumniques de Mme Léonard ne se limitait pas à ce cas, puisque bien d'autres participants à ses séances durant ces années constatèrent que leurs parents défunts contrôlaient directement l'état de transe. Le comportement de Mme Léonard changeait du tout au tout en ces circonstances : elle adoptait la voix ainsi que les traits physiques des esprits qui communiquaient par sa bouche. Cette vraisemblance se révélait extrêmement impressionnante pour nombre des participants. En dépit du fait que les rapports de Mlle Radclyffe-Hall contenaient de multiples éléments de preuve, leur contribution à la question de l'après-vie fut en vérité négligeable. En effet, les sceptiques faisaient peu de cas des dons de médium de Mme Léonard et soutenaient que toutes les informations communiquées pouvaient avoir été prélevées télépathiquement dans le cerveau des personnes qui assistaient aux séances.

Il apparaissait donc qu'il était nécessaire de trouver une nouvelle façon d'aborder la médiumnité, ce qui fut le cas lorsqu'un ecclésiastique anglais du nom de C. Drayton Thomas, membre actif de la Société, commença à travailler avec Mme Léonard en 1917. Il tint des séances régulières avec la médium à son domicile londonien et reçut une masse imposante de messages provenant de son père et de sa sœur défunts. Drayton Thomas institua également un test bien particulier pour l'entité de son père; cette procédure, connue sous le nom du «test des livres», a ouvert un nouveau chapitre dans la recherche de preuves de la survie. Pour ces expériences, Drayton Thomas demandait à l'esprit de parcourir psychiquement des livres qui se trouvaient soit dans un paquet hermétiquement clos, soit dans sa bibliothèque à la maison. Il s'agissait par là de forcer l'entité à fournir des informations qui ne pouvaient être soustraites du cerveau des personnes présentes.

Ces tests donnèrent toute satisfaction. Celui qui s'imposa avec le plus de force se produisit à l'occasion de l'une des premières séances de Drayton Thomas avec Mme Léonard. Il expliqua dans son rapport comment, un soir où il était chez lui, il entendit des petits «coups» bizarres dans la maison. Il lui vint à l'esprit immédiatement qu'il pouvait s'agir là d'une tentative de son père pour entrer en contact avec lui. Peu de temps après, il se rendit à une séance avec la médium où il découvrit la solution du mystère. Feda fit d'emblée et de son propre chef allusion à l'incident et prétendit que c'était elle qui était l'auteure des petits coups dans la maison de l'ecclésiastique. Puis elle fit entrer en communication le père de Drayton Thomas, qui livra un message relativement obscur : l'esprit demandait à son fils de rentrer chez lui et de trouver un volume placé «derrière la porte de ton étude, la deuxième étagère à partir du bas, le cinquième livre sur la droite. « En haut de la page 17, tu trouveras des mots qui semblent indiquer ce que Feda essayait de faire lorsqu'elle frappait dans cette pièce.» L'esprit ajouta : «A présent que tu sais qu'il s'agissait de Feda, tu comprendras le rapport indéniable avec ces mots.»

Le révérend avait hâte de rentrer chez lui pour voir si Feda et père avaient dit vrai. Le livre dont il avait été question pendant la séance s'avéra être un volume de Shakespeare. La page indiquée contenait un passage d'Henry IV éminemment pertinent : «Je ne te répondrai pas avec des paroles mais avec des coups.»

De tels succès furent nombreux et leur précision ne pouvait être réfutée en invoquant le hasard. En fait, des chercheurs de la S.P.R. tentèrent des simulations du test entre eux et n'aboutirent pratiquement à rien. Par la suite, Drayton Thomas étendit ces expériences en faisant prédire à l'esprit de son père des mots et des passages des journaux du lendemain : ces tests furent eux aussi tout à fait concluants.
Ces résultats indiquaient qu'à l'évidence Mme Léonard possédait des dons médiumniques hors du commun. Drayton Thomas réussit également à démontrer que la pure et simple télépathie ne pouvait expliquer les informations communiquées par l'esprit de son père, ce qui le conduisit à élaborer une interprétation spirite. Pourtant, lorsqu'on envisage ces expériences d'un point de vue plus moderne, les conceptions de Drayton Thomas paraissent quelque peu déficientes. En effet, les chercheurs de cette époque cruciale ne savaient malheureusement pas qu'un médium peut recourir à la seconde vue et à la précognition aussi aisément qu'à la télépathie - de sorte que de nos jours, les sceptiques pourraient fort bien soutenir que Mme Léonard se contentait d'utiliser ses pouvoirs métapsychiques pour lire les livres et les journaux, puis mettre ces informations dans la bouche de ses «prétendus» esprits. Ce type de raisonnement est difficile à réfuter, mais il n'explique pas non plus le test des livres. En effet, Drayton Thomas prouva que l'entité de son père réussissait le mieux à faire allusion aux livres qu'il affectionnait tout particulièrement de son vivant. Cette découverte paraît être bien plus cohérente au sein de la théorie spirite, car si Mme Léonard avait eu recours à ses propres pouvoirs métapsychiques pen-

dant les tests, les résultats auraient dû être constants, quels que soient les ouvrages. Le révérend Drayton Thomas explora ensuite d'autres aspects des dons de médium de Mme Léonard. Il en vint à penser que la meilleure façon de les tester était de tenir les séances sans que le client soit présent : ceci le conduisit à organiser ce qu'il nommait des «séances par procuration».

Il se contentait d'arriver chez le médium et expliquait à Feda qu'il représentait une personne absente qui désirait entrer en contact avec un esprit bien déterminé. Il espérait ainsi que Feda parviendrait à établir la communication avec l'entité spécifiée même dans ces conditions ardues. L'ensemble des résultats obtenus lors de ces séances par procuration par Drayton Thomas, puis plus tard par le secrétaire de Sir Oliver Lodge, démontra que cette procédure n'altérait en rien leur succès. La plus célèbre de ces séances fit l'objet d'un rapport de la S.P.R. en 1935 : l'ecclésiastique avait tenu une série de séances pour le compte d'une personne qui lui avait écrit et qui désirait contacter son petit-fils mort un mois auparavant. Drayton Thomas fut tout d'abord sceptique, car il ne pensait pas qu'un esprit aussi jeune réussirait à communiquer par l'entremise d'un médium.

Or, ses doutes furent rapidement dissipés. En effet, «Bobbie Newlove» parvint à communiquer à l'aide des esprits de contrôle de la médium et il lui fallut peu de temps pour envoyer une série de messages véridiques à son grand-père. Il communiqua notamment une description exacte d'une salière en forme de chien qu'il avait eue de son vivant, d'un costume qu'il avait porté jadis et même le nom d'une rue bordant son école. Le message le plus étonnant du garçon avait trait à des tuyaux dans un champ où il aimait jouer près de cette école. On finit par localiser ces canalisations : il semble probable que le garçon était tombé malade après avoir bu l'eau stagnante qui en coulait.

La preuve ultime de l'après-vie

Vers la fin de ses activités de médium, Mme Léonard manifesta ce qui pourrait être considéré comme la preuve ultime de l'après-vie. En effet, les participants pouvaient entendre une troisième voix dans la pièce où se tenait la séance, une voix qui chuchotait fréquemment des informations à Feda (qui contrôlait directement la parole normale du médium). Cette voix était parfois relativement forte, ce qui permit de l'enregistrer avec un magnétophone; cette invention nouvelle à l'époque fut ainsi utilisée pour laisser des traces permanentes des dons médiumniques de Mme Léonard. Les bandes que j'ai eu l'occasion d'écouter sont extrêmement impressionnantes dans la mesure où la «voix qui dirige» est claire et nette, et sans conteste celle d'un homme. (Ces enregistrements furent réalisés pendant certaines des séances auxquelles Drayton Thomas participait, et cette voix a été attribuée à son père).On a parfois l'impression qu'il y a une tierce personne dans la pièce, la voix s'exprimant fréquemment et avec vigueur tout au long de la séance. Mme Léonard continua à tenir des séances jusque dans les années 40. Elle disparut en 1968.

En dépit de toutes ces preuves, aucune réponse définitive à la question de l'après-vie n'est jamais sortie de l'étude des activités des médiums. L'attrait que présente l'hypothèse de la télépathie s'est bientôt manifesté de nouveau dans la théorie de la perception extrasensorielle (PES), selon laquelle un médium peut avoir recours aux pouvoirs illimités de la télépathie et de la seconde vue pour construire ses personnalités secondaires et en faire des entités spirites. Une théorie voisine fut même partiellement démontrée en 1921, lorsqu'un remarquable chercheur anglais spécialisé dans le domaine métapsychique, S. G. Soal, entreprit une série de séances avec Mme métapsychique Blanche Cooper au Collège britannique de science métapsychique à Londres. Il réussit à entrer en contact avec un vieil ami d'enfance nommé Gordon Davis;

celui-ci communiqua un certain nombre de messages qui constituaient autant de preuves de la communication avec les esprits. Or, il s'avéra par la suite que la personne en question était toujours en vie. Une enquête ultérieure révéla que le spirite avait donné des détails d'une maison dans laquelle cette personne ne déménagea qu'après la fin de ces séances.

Dès les années 30, la recherche sur l'après-vie était devenue de plus en plus frustrante, mais l'absence de preuves indéniables de la vie après la mort n'était pas la raison principale de l'abandon de cette problématique en faveur d'autres champs d'investigation. En effet, la recherche expérimentale sur les phénomènes de la télépathie, de la seconde vue et de la précognition étaient à l'avant-garde de la parapsychologie à l'époque. Ainsi, un cours sur le paranormal fut institué à l'université de Duke à Durham, en Caroline du Nord, où les découvertes de J. Rhine firent sensation dans la communauté scientifique.

En ayant recours à des procédés statistiques simples, il démontra que de nombreuses personnes pouvaient prendre en défaut les lois du hasard en «énonçant» l'ordre de symboles géométriques gravés sur des cartes. Ses données et ses méthodes révolutionnèrent ce domaine. Les tests de perception extrasensorielle firent bientôt fureur dans nombre d'universités américaines, et une partie de la nouvelle génération œuvrant au sein de la Société pour la recherche métapsychique alla jusqu'à dédaigner les séances des médiums pour le cadre plus rassurant des laboratoires. La parapsychologie venait de changer radicalement.

En dépit du fait que la recherche expérimentale est actuellement au premier plan de la parapsychologie, cela ne signifie pas qu'il faille croire que la question de la survie est une affaire classée. Au contraire, la recherche dans ce domaine est revenue lentement mais sûrement au goût du jour depuis les années 70. Ce nouvel intérêt pour la question fut sans nul doute suscité par les premières recherches qui virent le jour à la suite du legs de James Kidd.

Si on considère le premier siècle de la recherche métapsychique, il est clair que l'étude de la question de l'après-vie fut fructueuse : en effet, les premiers chercheurs démontrèrent que le problème de l'immortalité de l'homme pouvait être exploré de façon scientifique et critique, et que certaines formes de phénomènes métapsychiques avaient un rapport direct avec cette question. Il était donc possible de recourir à ces manifestations, en particulier les apparitions et les transes des médiums, pour construire a priori une argumentation métapsychique légitime en faveur de la survie. Pourtant, deux problèmes se présentèrent. Tout d'abord, les fondateurs de la S.P.R. constatèrent que l'étude de la question de l'après-vie était infiniment plus complexe qu'ils ne l'avaient imaginé. Enfin, ils ne parvinrent pas à susciter un consensus sur les critères à même de permettre de résoudre cette question de façon incontestable.

De nos jours, un siècle après la naissance de la recherche métapsychique, les parapsychologues se trouvent aux prises avec les mêmes problèmes, de sorte que lorsque les chercheurs trouvèrent de nouveau un intérêt à la question de l'après-vie au début des années 70, ils explorèrent de nouveaux domaines dans leur quête de preuves en faveur de l'immortalité de l'homme.

La projection hors du corps

Le récit qui suit fut rédigé en 1965 par un adolescent de Californie :

« Un jour d'été de 1965, je rentrai de mes cours de rattrapage comme d'habitude, m'allongeai sur mon lit et retirai mes chaussures. C'était un de ces jours de fournaise où même les mouches cessent de voler, et je désirais faire un somme. Mais tandis que j'étais allongé, je fus saisi d'une étrange sensation : je me rendis compte que je ne pouvais bouger et que mon corps tout entier vibrait comme si j'étais chargé d'électricité. Puis je commençai à avoir l'impression de flotter. Je fermai les yeux afin de me laisser aller et, quelques secondes plus tard, je flottais au-dessus de mon corps. Je pouvais le voir nettement, alors même que tout dans la pièce semblait enveloppé d'une brume rose. Je n'avais pas plus tôt réalisé que j'étais littéralement «hors de mon corps» que je me retrouvai debout près de mon lit. J'essayai d'aller vers la porte, mais je ne l'atteignis jamais. Je chancelai un peu et je me retrouvai sur mon lit quelques instants plus tard. »

Sur le moment, le jeune homme pensa qu'il venait de vivre

une expérience vraiment singulière, mais il avait tort : en effet, c'est le cas de milliers de personnes. Certaines la subissent pendant une maladie ou à l'article de la mort, d'autres lorsqu'elles tombent de bicyclette, qu'elles se font renverser par une voiture ou lors de tout accident qui met leur vie en danger. En revanche, quelques-unes d'entre elles (notamment le jeune homme dont le cas est rapporté ci-dessus) la vivent sans l'intervention d'aucun catalyseur : cela leur «arrive», souvent pendant qu'elles se reposent ou se détendent.

Or, il s'agit là d'une expérience dont la plupart des gens jurent qu'ils ne l'oublieront jamais. Des enquêtes effectuées récemment indiquent que la plupart des personnes qui ont connu cet état de décorporation l'ont trouvé agréable et aimeraient y regoûter. Une autre série d'enquêtes menées aux États-Unis et en Angleterre révèle qu'une personne sur cinq subira cette expérience très commune à un moment donné de son existence. Cependant, il semble très rare qu'un individu acquière vraiment la faculté de «quitter son corps» à volonté.

Il n'en reste pas moins que ces personnes existent réellement, si bien que, ces dernières années, des parapsychologues de renom n'ont pas économisé leurs efforts pour les convaincre de venir dans leurs laboratoires faire la preuve de leurs affirmations.

Lorsque le docteur Gardner Murphy déposa devant la cour de l'État d'Arizona statuant sur le cas de James Kidd, le 6 juin 1967, il évoqua le sujet de la projection hors du corps (appelée aussi décorporation, bilocation ou OOBE, pour «Out of Body Expérience») en ces mots : «Il s'agit d'expériences qui durent habituellement quelques minutes, parfois quelques heures, au cours desquelles le sujet, qui se trouve généralement dans un état d'endormissement ou de coma, se voit quitter son corps, va se placer à des kilomètres de là, et peut se retourner et voir la maison dans laquelle gît son enveloppe charnelle...»

Le psychologue ajouta que «dans certaines circonstances, il arrive que l'individu soit perçu par des tiers. Nous avons connaissance de quelques cas dans lesquels un autre individu voit la personne, non pas comme elle se trouve dans son lit de malade, mais là où elle goûte les bienfaits du grand air.»

Ces récits intriguaient le docteur Murphy : il suggéra donc que si la décorporation pouvait avoir un quelconque effet matériel à son point de projection, ce phénomène pourrait contribuer à résoudre la question de l'après-vie. En effet, cela démontrerait que nous possédons une «dimension psychique» qui est à même de quitter le corps et d'exister indépendamment. Cette conception a été adoptée depuis longtemps par les partisans de la théorie de la survie. Il semble logique de conclure que si l'esprit peut fonctionner loin du corps pendant quelque temps, il pourrait le faire de façon autonome à titre définitif. C'est la raison pour laquelle certains chercheurs qui s'occupent de la projection hors du corps soutiennent que l'étude de ce phénomène est cruciale dans la perspective de l'après-vie. Les faits présentés dans le chapitre précédent démontraient l'immense difficulté qu'il y a à prouver que les morts peuvent entrer en contact direct avec les vivants. La décorporation fait espérer que cette question sera réglée en montrant que nous possédons la faculté innée de survivre au choc de la mort.

C'est pourquoi la recherche visant à démontrer la nature de la décorporation est devenue essentielle dans cette problématique de l'après-vie. Ce qui se joue ici s'organise autour des questions suivantes : la décorporation est-elle un «authentique» phénomène métapsychique? En ce cas, existe-t-il quoi que ce soit de réel ou de détectable qui quitte le corps à cette occasion? Faire la preuve de l'une ou l'autre de ces possibilités viendrait automatiquement corroborer l'idée que la projection hors du corps est une expérience que nous finirons par savoir utiliser pour transcender la mort.

Expérimentations sur la décorporation

Les parapsychologues se sont intéressés à la décorporation depuis l'époque de F. W. H. Myers, mais ce n'est que relativement récemment que l'attention s'est tournée vers l'exploration de ses paramètres. Ce sujet n'est pourtant jamais devenu le point central de la recherche sérieuse, car il s'intégrait mal aux tendances de la parapsychologie dans les années 30. La recherche expérimentale sur les facteurs liés à la projection hors du corps commença en France à la fin du XIXe siècle. Les chercheurs la provoquaient chez leurs sujets au moyen de l'hypnose et essayaient de faire produire des petits coups ou de faire bouger des balances sensibles à leur corps «astral». Ils essayèrent même de prendre des clichés du «double» de l'homme. De grands succès furent signalés, mais il est très difficile d'évaluer ces recherches de nos jours.

Les premières tentatives pour étudier scientifiquement la bilocation n'eurent lieu qu'en 1965, lorsqu'un psychologue de l'université de Davis en Californie, le docteur Charles Tart, se consacra à ce sujet. Son intérêt fut éveillé par une jeune femme qui l'avait contacté et affirmait qu'elle se projetait chaque soir hors de son corps physique. Tart lui suggéra alors de découper des morceaux de papier où elle inscrirait des nombres, de les placer dans une boîte, de les mélanger et, juste avant d'aller se coucher, d'en tirer un sans le regarder, pour le mettre quelque part dans la chambre. Il lui expliqua que pour prouver la réalité de ce qu'elle ressentait, il lui faudrait essayer de voir le nombre pendant qu'elle serait décorporée; ceci lui permettrait d'évaluer l'exactitude de ses visions dans cet état, d'où la possibilité d'étudier scientifiquement cette expérience. Le docteur Tart fut encore plus intrigué quand la jeune femme lui rapporta quelques jours plus tard que l'expérience avait été concluante. Il eut bientôt la possibilité de lui faire passer une série de tests dans son laboratoire sur le sommeil à l'université.

Les expériences étaient relativement simples : chaque soir pendant quatre jours, Mlle Z. (ainsi que l'appela dans son rapport le docteur Tart) venait dans son laboratoire et essayait de dormir sur un lit de camp où elle s'allongeait après avoir été munie d'électrodes. Cet équipement était branché à un détecteur qui enregistrait ses ondes cérébrales et autres réactions physiologiques pendant son sommeil. Une saillie du mur se trouvait au-dessus du lit et, chaque soir, le psychologue y plaçait un papier sur lequel était inscrit un nombre à cinq chiffres. La seule instruction que Mlle Z. avait reçue était de s'endormir et, au cas où elle se projetterait hors de son corps durant la nuit, d'aller voir le nombre en flottant et de le mémoriser. Un interphone reliait la pièce où elle dormait à une salle adjacente où se trouvait un chercheur surveillant le déroulement de l'expérience, si bien qu'elle pouvait communiquer le nombre immédiatement.

Rien de très intéressant ne se produisit pendant les trois premières nuits, mais la quatrième session fut un succès étonnant. En effet, peu après 6 heures du matin, Mlle Z. appela sur l'interphone : elle déclara qu'elle venait de quitter son corps et récita le nombre au scientifique - les cinq chiffres étaient corrects. Ce que ses ondes mentales indiquaient à ce moment crucial était encore plus intéressant : l'électroencéphalogramme montrait que juste avant d'appeler, Mlle Z. était passée du sommeil normal à un état de «somnolence» étrange et inclassable dans les catégories de sommeil ou d'état de veille. Ces faits suggérèrent au docteur Tart que quelque chose de plus que la simple perception extrasensorielle avait permis au sujet de réussir à lire le nombre.

Il fut révélé par la suite qu'il aurait été possible de lire le nombre qui se trouvait sur la saillie en allumant une lampe de poche pour en voir le reflet sur une pendule placée au-dessus. Pourtant, rien ne laisse penser que le sujet connaissait ce défaut du dispositif et ait introduit secrètement une lampe dans le laboratoire; de plus, il est probable qu'un mouvement important de sa part aurait détaché les électrodes fixées sur son corps.

En règle générale, les parapsychologues firent peu de cas des travaux du docteur Tart, qui donnèrent lieu à une publication en 1968. Or, lorsque le legs de James Kidd fut accordé à la Société américaine pour la recherche métapsychique (puis à la Fondation pour la recherche métapsychique), les chercheurs des deux organismes se mirent à reconsidérer la question de la bilocation. Il est possible qu'ils se soient alors inspirés du raisonnement du docteur Murphy et qu'ils aient pensé qu'il serait plus fructueux de travailler avec les vivants plutôt que de continuer à utiliser les services des médiums. Ils consacrèrent donc leurs efforts à démontrer que nous possédons la faculté de survivre, et cessèrent de vouloir établir qu'il est possible de communiquer directement avec les morts.

En conséquence, pendant les années qui suivirent, les deux organismes allaient consacrer des quantités considérables de temps, d'énergie et d'argent à explorer la projection hors du corps. Leur objectif était de trouver un moyen de prouver qu'un aspect de l'esprit quitte vraiment le corps pendant la décorporation. Dans la mesure où une telle découverte équivaudrait à «prouver l'existence de l'âme», il n'y avait aucun doute que ces recherches étaient bien dans l'esprit (tout jeu de mots mis à part) du testament de James Kidd.

La nature de la décorporation

À l'avant-garde des investigations sur la décorporation se trouvait le docteur Karlis Osis, directeur de recherche de la Société américaine pour la recherche métapsychique, qui s'était déjà intéressé à la question de la survie et à qui le legs de Kidd fournissait l'occasion de s'y consacrer à plein temps. Après avoir lu les ouvrages qui s'y rapportaient, il décida que la meilleure manière d'aborder le problème était d'explorer la nature des visions qui se produisaient à l'occasion de la projection hors du corps. Selon lui, la «vision» en cet état devait se conformer aux principes qui la régissent dans le monde physique, contrairement au caractère fragmenté et vague des messages de la perception extrasensorielle. Il espérait pouvoir montrer qu'un spirite décorporé serait à même de mieux «voir» que dans l'autre cas. De plus, il s'attendait à ce que cette «vision» soit limitée par les mêmes facteurs que dans la réalité quotidienne.

Ingo Swann

Le docteur Osis n'eut heureusement pas trop à attendre pour pouvoir mettre ses idées à l'épreuve : en effet, son jour de chance arriva lorsqu'il commença à faire des expériences avec Ingo Swann, un médium new-yorkais particulièrement pittoresque. Ancien employé de l'Organisation des Nations Unies, grand fumeur de cigare, l'athlétique Ingo Swann devint très rapidement l'un des médiums professionnels les plus en vue des États-Unis. Enfant, il avait découvert qu'il pouvait quitter son corps lorsqu'on lui avait fait l'ablation des amygdales; plus tard, il avait appris à contrôler cette faculté hors du commun : il s'était rendu compte qu'il pouvait non seulement projeter une partie de son esprit hors de son corps, mais qu'il pouvait (rester parfaitement conscient pendant ce temps. Pour susciter la projection hors du corps, Swann se contentait de s'asseoir dans un fauteuil confortable, un cigare à la bouche le plus souvent, puis il «libérait» une partie de son esprit en racontant à l'expérimentateur, d'un air détaché, ce qu'il «voyait» tandis que son esprit se déplaçait en flottant

En 1972, le docteur Osis et son assistante à la Société américaine pour la recherche métapsychique, Janet Mitchell, entreprirent toute une série d'expériences avec Ingo Swann. En vue de leurs premiers tests, une salle du siège de la Société fut tout spécialement aménagée : Swann y était assis dans un fauteuil, on le bardait d'électrodes, puis on lui demandait de projeter son esprit au plafond où il devait «regarder» dans une boîte qui y était suspendue. Deux images étaient placées côte à côte dans cette boîte; on demandait à Swann de regarder l'une des deux, de la décrire, puis de «faire le tour» de la boîte et de regarder la seconde; ensuite, il devait dessiner ce qu'il avait vu. Plusieurs essais furent effectués en ayant recours au même procédé, mais avec des images à chaque fois différentes.

Il est aisé de discerner le raisonnement qui guidait ces tests : trois objets étaient placés l'un à côté de l'autre dans cette boîte, car Osis voulait savoir si Swann pouvait les voir tous à la fois et l'un par rapport aux autres; s'il réussissait, le docteur pensait que cela indiquerait que la projection hors du corps était un phénomène différent de la télépathie ou de la seconde vue, puisque ces facultés sont rarement précises. Cela démontrerait que «quelque chose quittait» le corps à cette occasion.

Le moins qu'on puisse dire est que les performances de Swann furent sensationnelles. Dans un cas, les deux images comportaient des formes géométriques : l'une figurait un cœur rouge renversé avec un coupe-papier noir posé dessus, tandis que l'autre représentait une cible tricolore dont un quartier manquait. Pendant sa décorporation, Swann réussit à voir ces images, puis les dessina avec une grande précision; son dessin de la cible était si ressemblant qu'il plaça même le quartier à sa bonne position; sa seule erreur consista à inverser l'ordre des couleurs des cercles de la cible. Quant au cœur et au coupe-papier, Swann dessina une forme ovoïde surmontée d'un objet oblong en forme de couteau, dont les couleurs étaient indiquées correctement.

Swann savait également réserver quelques surprises aux chercheurs pendant les tests. Osis et ses assistants surent bientôt que la vision de Swann dans cet état pouvait être d'une précision si déconcertante qu'il était parfois capable de percevoir des aspects des objectifs que même eux n'avaient pas vus. Swann décrit un de ces incidents dans son autobiographie intitulée To Kiss Earth Goodbye (Bons baisers à la Terre) :

"Au cours de l'expérience du 3 mars, l'intérieur de la boîte était hors du corps; soigneusement garni de papier blanc, mais la personne qui avait construit cet objectif avait omis, par inadvertance, de couvrir des caractères imprimés qui se trouvaient à l'intérieur. Je «vis» ces caractères, mais ne parvins pas à les lire tandis que je cherchais nerveusement à percevoir ce qui se trouvait dans la boîte. À la fin de l'expérience, avant qu'on ait descendu et examiné la boîte, la personne qui s'en était occupée commença à s'énerver et à dire que j'avais échoué puisque la boîte ne recelait rien d'imprimé. Piqué au vif, j'indiquai que j'y avais perçu des caractères, qui devaient donc s'y trouver. Au grand dam de toutes les personnes présentes, lorsqu'on descendit et examina la boîte, les caractères imprimés s'y trouvaient bien, comme j'avais senti les avoir vus. »

La boîte à illusions d'optique

Pour tester encore plus avant les rapports entre la vue en temps normal et la vision en état de projection hors du corps, Osis mit au point une nouvelle procédure pour ses sujets potentiels. Une fois de plus, il espérait démontrer que «quelque chose» quittait vraiment le corps à cette occasion. Aidé en cela par certains de ses collaborateurs, il conçut ce qu'il nomma la «boîte à illusions d'optique». Ce dispositif ressemblait à une simple boîte noire montée sur un pied, mesurant 1 mètre sur 60 centimètres, avec une curieuse ouverture percée en son centre. En regardant par le trou, il était possible de voir un disque divisé en quatre segments de couleurs différentes. Un projecteur de diapositives était accouplé à la boîte; lorsqu'il était en marche, il semblait projeter l'une ou l'autre des images sur un des secteurs du disque. Je dis «semblait», car la superposition de l'image était en fait une illusion d'optique.

Cette illusion était au centre de toute l'expérience. Osis croyait en effet qu'un médium, s'il regardait dans l'ouverture quand il était en état de projection hors du corps, serait à même de percevoir l'illusion d'optique, tout comme vous et moi le ferions. En revanche, pensait-il, si un sujet avait recours à la seconde vue pour «examiner» la boîte métapsychiquement, il ne verrait pas du tout l'illusion.

Pour tester sa boîte magique, Osis recruta un nouveau médium pour lui servir de cobaye. Alex Tanous était un ancien professeur de théologie du Maine, un homme aux yeux et à l'air mystérieux, qui devint la seconde vedette des expériences du docteur sur la projection hors du corps. Mais au contraire de Swann, Tanous affirmait qu'il projetait un ectoplasme pendant qu'il était décorporé, et que ce «double» avait parfois été vu par des personnes auprès desquelles il s'était projeté. Afin de tester ces dons que Tanous prétendait posséder, Osis plaça le médium dans une salle séparée par un couloir de celle où se trouvait la boîte à illusions d'optique. On demanda simplement à Tanous de s'asseoir ou de s'allonger, de se projeter vers la boîte, de regarder à l'intérieur puis de raconter quelle image il y avait vue et sur quel secteur il l'avait vue projetée.

Au début, Tanous échoua totalement, à la grande déception du docteur Osis, mais ce fut le médium qui comprit quel était le problème : «Lorsque j'ai commencé à travailler avec la boîte à illusions d'optique, je ne pouvais voir l'image en question, car je n'étais pas assez grand, ou plutôt mon autre moi était trop petit. L'ouverture sur le devant de la boîte est à hauteur d'œil pour une personne de taille moyenne. Tel que je le perçois, mon moi projeté, mon corps astral, n'a pratiquement aucune taille : c'est une petite boule de lumière. Je ne pouvais regarder par l'ouverture à moins de faire un effort, de me mettre «sur la pointe des pieds»; et même ainsi, je ne pouvais pas bien voir.» Le docteur Osis fit donc construire une estrade pour que le corps astral de Tanous puisse s'y tenir et, comme prévu, le médium réussit alors à voir à l'intérieur de la boîte.

Expériences de détection de la décorporation

Tandis que tout ce travail était en cours à New York, des recherches au sujet de la décorporation étaient également entreprises plus au sud, en Caroline du Nord, où elles prirent rapidement une direction diamétralement opposée. Pendant les années 70, la Fondation pour la recherche métapsychique était un petit organisme manquant de crédits, installé dans deux bâtiments de bois à proximité de l'université de Duke. En dépit de ses apparences modestes, la Fondation consacra deux années à des études sur la nature de la décorporation, études qui allaient faire date. En outre, il est fascinant de savoir que ces chercheurs concentrèrent leurs efforts sur un seul sujet.

Keith «Blue» Harary prit contact avec la Fondation en 1973. Il venait de s'inscrire en première année à l'université lorsqu'il entendit dire que la Fondation recherchait des personnes qui se pensaient capables de quitter volontairement leur corps. Comme c'était son cas depuis l'enfance, il s'empressa d'offrir ses services. L'équipe de la Fondation ne manqua pas d'être immédiatement intéressée par «Blue», qui affirmait pouvoir quitter son corps de son plein gré. Ce projet fut confié au directeur de la recherche de la Fondation, le docteur Robert Morris. Il incomba à ce dernier de constater si Blue pouvait réellement se décorporer comme il le prétendait.

Pour la première phase de ses expériences, Morris demanda à Blue de rester dans un des bâtiments de la Fondation pendant que des collègues accrochaient de grandes lettres de carton sur un mur de l'autre construction, à une vingtaine de mètres de là. Blue avait pour consigne de quitter son corps, de se rendre dans l'autre bâtiment, pour ensuite rapporter ce qu'il y avait vu. Pour effectuer ses voyages métapsychiques, Blue se contentait de s'allonger, de se détendre et de laisser son esprit se décorporer. En règle générale, il s'installait dans un lieu clos, car il n'aimait pas être regardé tandis qu'il procédait à sa décorporation. Afin de rester tout de même en contact constant avec les expérimentateurs, Blue utilisait un interphone. Il s'en servait pour indiquer à Morris le moment où il sentait que la décorporation était sur le point de se produire; il suivait la même procédure quelques minutes après être revenu. Aussitôt que Blue avait regagné son corps, Morris lui demandait de raconter ce qu'il avait vu pendant son voyage métapsychique.

On procéda à plusieurs essais, pour lesquels Blue connut plus ou moins de succès, si bien qu'il apparut rapidement aux chercheurs de la Fondation que la projection hors du corps n'était pas si simple qu'il le semblait de prime abord. Parfois, Blue était d'une étonnante précision pour décrire les lettres; en d'autres occasions, il échouait lamentablement. Néanmoins, les chercheurs apprirent que Blue possédait aussi quelques trucs de médium. Ainsi, durant un des tests, Joseph Janis, membre de la Fondation, était la seule personne censée se trouver dans la salle où étaient placées les lettres de carton. Toutefois, Blue ignorait qu'un autre expérimentateur, un volontaire du nom de Jerry Posner, était entré dans la salle pendant l'expérience pour tenir compagnie à Joe. Bien que le médium n'eût pas réussi à bien lire les lettres pendant le test, il perçut sur-le-champ la présence d'une autre personne dans la pièce et en informa le docteur Morris.

Ce n'était pourtant pas là le fin mot de cette histoire insolite. Une fois l'expérience achevée, Posner affirma qu'il avait vu l'apparition de Blue dans la salle avec lui! L'heure à laquelle le chercheur avait vu l'apparition correspondait exactement au moment où Blue effectuait sa tentative. Cet incident inattendu indiqua à l'équipe qu'il était possible que le médium réagisse mieux aux personnes qu'aux lettres de carton, ce qui leur fit poursuivre de nouvelles expériences avec lui.

Quatre chercheurs reçurent pour consigne de passer la journée dans le centre de méditation de la Fondation, et ce pendant toute la durée de l'expérience. Ce centre était une petite construction située juste derrière les deux bâtiments administratifs, de l'autre côté d'une cour gazonnée. On emmena Blue dans un autre édifice, on l'installa dans un lieu clos et on lui demanda de se rendre jusqu'au centre pour voir qui s'y trouvait et d'indiquer le nom de ces personnes aux expérimentateurs. Naturellement, Blue ignorait totalement qui, de la dizaine d'employés de la Fondation, était présent au centre. Néanmoins, le premier test fut une réussite totale : il fut capable de dire avec précision non seulement qui était assis dans le centre de méditation, mais aussi où chaque volontaire était placé!

Même si son score passa sous la moyenne pendant les quelques tests qui suivirent, les chercheurs de la Fondation furent déconcertés par le fait que les personnes assises dans la salle semblaient parfois «voir» l'apparition de Blue ou détectaient sa présence d'une autre façon. De plus, l'heure à laquelle elles déclaraient l'avoir repéré correspondait généralement au moment où Blue faisait ses tentatives de projection hors du corps. Le docteur Morris lui-même en fit l'expérience. Si bien qu'au lieu de résoudre le mystère de la projection hors du corps, les chercheurs de la Fondation se trouvèrent confrontés à des problèmes encore plus complexes.

Tests avec des animaux

Comme nombre de personnes sensibles aux influences psychiques, Blue adorait les animaux. Puisqu'il lui semblait si facile de faire réagir les gens à sa présence décorporée, l'équipe de la Fondation eut une merveilleuse idée pour la suite des expériences. En effet, si Blue réussissait à faire réagir les êtres humains à sa présence, qu'en serait-il des animaux? La tradition veut que ceux-ci se comportent bizarrement dans les maisons hantées à l'égard des fantômes et des spectres de tout ordre. Les chercheurs se demandèrent donc comment ils réagiraient à la présence d'un esprit. Dans le cadre de cette nouvelle phase de la recherche sur Harary, ils réquisitionnèrent deux chatons qu'ils nommèrent judicieusement Âme et Esprit.

Pour ces nouveaux tests, Robert Morris utilisa une «table d'activité animale». Il s'agissait d'une longue planche comportant un damier; lorsqu'on y plaçait un animal, l'expérimentateur pouvait enregistrer son «taux d'activité» en notant le nombre de cases qu'il traversait et le nombre de fois où il émettait un bruit pendant un laps de temps donné. L'idée de Morris était de voir si les chats réagiraient différemment lorsque Blue leur rendrait mentalement visite. Il va sans dire qu'il s'agissait d'une expérience complexe, qui se déroula de la manière qui suit. On emmena tout d'abord Blue dans une salle de laboratoire de l'université de Duke, située à quelque 800 mètres de la Fondation. Un expérimentateur resta avec lui tandis qu'un autre surveillait le chaton qui se trouvait dans le laboratoire de la Fondation.
On dit au second expérimentateur que, durant l'expérience, le téléphone de la pièce sonnerait quatre fois : chaque sonnerie marquerait le début d'une expérience de deux à trois minutes pendant laquelle il devrait surveiller l'animal de près. Toutefois, Blue ne se projetterait vers le chaton qu'en deux occasions; les deux autres fois, il se contenterait de penser à se projeter hors de son corps ou ne ferait rien du tout. L'expérimentateur s'occupant de l'animal ne savait absolument pas en quelles occasions Blue effectuerait ses véritables

tentatives; sa tâche se limitait à l'observation du chat, dont il devait enregistrer le comportement durant ces quatre séquences.

L'expérience eut lieu plusieurs fois, et les résultats furent tout bonnement incroyables. En effet, le chaton ne manquait pas de s'agiter chaque fois qu'il était mis sur la planche : il ne cessait de sauter d'un côté et de l'autre et de miauler. Or, chaque fois que Blue se projetait, l'animal se calmait tout à coup et cessait de miauler. Les changements qui affectaient son comportement étaient souvent si frappants que le chercheur qui observait le chaton n'avait aucune peine à savoir quand Blue leur rendait visite.

Cette expérience avec des chatons fut reproduite sur d'autres animaux. Au moment où j'arrivai à Durham, pendant l'été de 1973, en tant que conseiller pour ce programme de recherche, cette série d'expériences touchait à sa fin et la discussion battait son plein au sein de l'équipe pour savoir ce que serait la prochaine phase. Il était question de recourir à des animaux plus sauvages, lesquels s'avéreraient plus vigilants et se sentiraient davantage menacés par une présence invisible. Certains d'entre nous pensaient qu'ils réagiraient donc plus vigoureusement à la présence d'un visiteur décorporé. Trouver le sujet adéquat pour nos tests ne nous prit pas très longtemps : en effet, un autre conseiller participant à ce projet, M. Graham Watkins, était un spécialiste du comportement animal, avec un faible marqué pour les serpents. Son animal était le spécimen le plus méchant que j'aie jamais vu : il haïssait vraiment le monde entier et cherchait à mordre tous ceux qui avaient l'audace de s'approcher de lui. Watkins nous proposa de nous le prêter (de même que la paire de gants idoines) pour la durée de l'expérience.

Pour le premier test, une équipe de chercheurs emmena Blue à l'hôpital de Duke, après que nous ayons synchronisé nos montres. Je restai dans les bâtiments de la Fondation avec un assistant : la salle dans laquelle nous nous trouvions comportait un petit isoloir muni d'une fenêtre d'observation où fut placé le serpent. L'expérience se déroula selon les mêmes modalités que celle des chatons : je me contentais d'observer le reptile et de noter ses réactions, tout en attendant l'appel téléphonique du laboratoire marquant le début d'une séquence de trois minutes. Au cours de l'heure qui suivit, l'appareil sonna quatre fois et Blue tenta de se projeter vers nous par deux fois, sans que nous sachions quand c'était effectivement le cas.

Pendant la durée de l'expérience, le serpent n'eut qu'une seule réaction bizarre. Avant que le test commence et durant la première période, il était tout à fait serein et se déplaçait dans sa cage de la façon la plus ordinaire qui soit. Il commença à s'agiter au début de la deuxième période : à mon grand étonnement, il se hissa le long de la paroi de sa cage et se mit littéralement à l'attaquer, la mordant sauvagement. Puis, de façon tout aussi mystérieuse, il se calma de nouveau. Cette réaction, qui avait duré de 20 à 30 secondes, avait été saisissante. En revanche, le reptile n'eut plus aucune réaction inhabituelle pendant le reste de l'expérience.
Lorsque, plus tard dans la soirée, les chercheurs de la Fondation emmenèrent Blue au laboratoire, nous comparâmes les minutages : il s'avéra que sa première tentative s'était produite pendant cette seconde période si impressionnante. Il nous expliqua comment il s'était décorporé, s'était retrouvé avec nous et, n'arrivant pas à attirer notre attention, s'était projeté au beau milieu de la cage du serpent.
Les minutages du moment où Blue affirmait avoir été avec le reptile et ceux de la réaction brutale de l'animal correspondaient presque parfaitement.

Nous tentâmes de réitérer cette expérience quelques jours plus tard, mais le serpent refusa de coopérer. En effet, avant même que le test ne commence, il s'enfouit dans les copeaux qui garnissaient sa cage et s'endormit. Je ne parvins pas à le réveiller, de sorte que le test fut un fiasco.

Les expériences que je viens de décrire ne sont en fait que les temps forts d'une série de tests que l'équipe de la Fondation avait conçus pour explorer la faculté de Blue de se projeter hors de son corps. Le problème central consistait évidemment à démontrer qu'il «quittait» bien son corps comme il l'affirmait. Pourtant, au terme de deux années de recherche, il fut impossible d'apporter une réponse qui satisfasse tout un chacun. Le docteur Robert Morris resta sceptique jusqu'à la fin quant à la signification et aux implications globales de cette étude. En effet, il croyait qu'il était théoriquement possible que les animaux et les personnes qui détectaient la présence de Blue aient réagi à des messages métapsychiques (télépathiques ou psychocinétiques) émanant de sa part. Quant à moi, je n'acceptais pas cette théorie puisque je ne croyais pas qu'elle expliquait le comportement du chaton, pas plus qu'elle ne s'accordait avec le nombre de détections visuelles et subjectives de la présence décorporée de Blue.

Certains indices significatifs tendaient même à montrer que Blue pouvait susciter des effets physiques là où il se projetait. Ainsi, pendant une expérience, il s'approcha d'un thermographe installé dans un des bâtiments de la Fondation tandis qu'il se décorporait dans l'autre. Il s'en approcha à deux reprises et, chaque fois, l'appareil enregistra une baisse de température. Malheureusement, Blue ne réussit pas à reproduire cet effet de façon fiable, de telle sorte qu'en fin de compte, les travaux de la Fondation s'achevèrent dans un climat d'incertitude. Il semblait assuré qu'une partie de l'esprit de Blue quittait son corps, mais aucun des tests ne constitua une preuve indéniable.

Les recherches entreprises à la fois par la Société américaine pour la recherche métapsychique et par la Fondation pour la recherche métapsychique parvinrent à leur terme au bout de deux ans. Les raisons de cet arrêt étaient fort simples : l'argent de James Kidd avait été dépensé, de sorte que les deux organismes durent se remettre à chercher du financement... et de nouveaux projets pour les susciter.

Dès 1975, la projection hors du corps physique appartenait au passé de la recherche parapsychologique : en effet, les scientifiques avaient fait tout leur possible pour l'analyser en tant que phénomène objectif et non comme une hallucination due à la perception extrasensorielle. Une partie de leurs données étaient cohérentes par rapport à la théorie de la «projection spirituelle», mais de nombreux chercheurs étaient déçus du manque de régularité de leurs résultats. En effet, si une personne était vraiment décorporée, comment se faisait-il que le sujet ne réussissait pas toujours à faire réagir les gens ou à voir les objectifs situés dans des endroits éloignés? Personne ne semblait à même de répondre à cette irritante question. Heureusement, la recherche relative à la nature de la projection hors du corps ne s'acheva pas à cette époque : elle prit simplement une dimension nouvelle et s'engagea sur des voies totalement différentes. Toutefois, ces nouvelles recherches ne devaient pas être issues de la parapsychologie conventionnelle

L'expérience de la mort imminente

Lorsque l'ouvrage de Raymond Moody, Life After Life (La vie après la vie), fut publié en 1975, personne ne pensait que ce serait un best-seller. En effet, il était publié par une petite maison d'édition d'Atlanta en Géorgie et présentait d'une façon plutôt clinique plusieurs cas de personnes «mortes», mais qui étaient par la suite revenues à la vie.

Les témoins de Moody racontaient tous sans exception comment ils avaient quitté leur corps, avaient survécu au choc de la mort, avaient été transportés en un paradis étrange et merveilleux, et n'avaient regagné leur corps qu'à contrecœur. C'est peut-être cette façon «optimiste» de considérer l'expérience de la mort qui triompha du tabou qui entoure généralement ce sujet et suscita l'accueil enthousiaste réservé au livre de Moody. Des colloques consacrés à l'expérience de la mort imminente furent organisés au cours des congrès annuels de l'Association de parapsychologie et de l'Association américaine de psychologie; en outre, un groupe de médecins réalisant des études sur le phénomène de la mort imminente fut formé.

Depuis la publication de l'ouvrage de Moody, des centaines de personnes ont brisé le silence et ont raconté ce qu'elles ont vécu. Tous ces cas constituent une masse de témoignages qui ne cesse de s'accroître et qui implique que seul un bref instant nous sépare de l'après-vie. Par exemple, dans l'édition d'août 1979 d'Anabiosi, bulletin de la International Association for Near-Death Studies, un correspondant relate un cas typique de mort imminente (en anglais, Near-Death Encounter ou NDE). Le jeune homme rapporte qu'il frôla la mort à la suite d'un effroyable accident : il était en train de charger des provisions dans le coffre d'une voiture quand un autre véhicule vint s'écraser contre le premier, l'emprisonnant entre les deux carcasses.
On l'emmena en toute hâte à l'hôpital où il fut admis au service des urgences : c'est là qu'il perdit conscience. «Quelque temps plus tard, raconte-t-il, il y eut un éclair et je me rendis compte que je flottais au-dessus de mon corps physique. Je pouvais voir les chirurgiens qui s'affairaient autour de moi. Il y avait aussi une infirmière assise auprès de moi, juste derrière ma tête. Ensuite, je sentis quelqu'un placer ses mains sur mes épaules. J'avais l'impression que j'étais assis sur quelque chose qui se déplaçait dans un tunnel.»

Par la suite, le jeune homme parcourut le tunnel comme un éclair et s'arrêta dans un environnement brumeux. Il distinguait des gens qui bougeaient aux alentours et entendait une musique magnifique qui descendait en cascade dans cet endroit. Enfin, un être lumineux s'approcha de lui, lui posa des questions sur sa vie, puis lui enjoignit de regagner son corps. Il se réveilla plus tard après avoir parcouru le tunnel en sens inverse. «Je n'ai jamais rien vécu de si beau», dit-il plus tard. Il s'agit là de la réaction de bien des gens après avoir vécu l'expérience de la mort imminente.

Ce type de cas focalise l'attention d'une bonne part du public - les quotidiens eux-mêmes les rapportent régulièrement. Un cas semblable à celui dont il vient d'être question fit l'objet d'un article dans le Times de Los Angeles le 30 mars 1983. On y relatait l'expérience vécue par un jeune homme d'affaires de Hollywood. Dan O'Dowd, co-propriétaire d'une société de vidéo à Los Angeles, faillit mourir le 27 août 1979 lorsqu'un chauffard en état d'ivresse lui fit quitter la route sur la Pacifie Coast Highway, qui descend le long de la côte de la Californie du Sud. Une cinquantaine d'interventions chirurgicales furent nécessaires pour redonner au malheureux une apparence humaine. Son expérience de la mort imminente se produisit pendant une opération éprouvante qui dura 15 heures à l'hôpital Cedars-Sinai Médical Center de Beverly Hills. Il gisait sur la table d'opération lorsque, comme il le rapporta par la suite : «Soudain, je ne me sentis plus drogué par les produits de l'anesthésie, mais, au contraire, complètement lucide, les yeux sur l'électrocardiographe qui affichait une ligne droite. J'étais tout à fait éveillé, tout en sachant que j'avais les paupières closes. Cela donnait l'impression de voir des images à la télévision. Puis je m'élevai et me regardai d'en haut. Je planais à environ un mètre au-dessus de mon corps.» Il assista en spectateur stupéfait au diagnostic du médecin : il était mort. Il semble que cet homme ait vécu une expérience de mort temporaire lors d'un problème survenu sur la table d'opération.

Ensuite, O'Dowd se retrouva dans le couloir où étaient rassemblés les membres de sa famille et assista en spectateur incrédule à l'annonce par le chirurgien de l'échec de l'opération. O'Dowd fut bientôt de retour dans la salle d'opération où les médecins, en dépit de leur pronostic négatif, essayaient encore de le sauver. Ébahi, il fut le témoin d'une tentative de réanimation, menée dans l'espoir que les chocs électriques du défibrillateur feraient repartir son cœur. «Un type a saisi des électrodes, expliqua-t-il aux journalistes, puis quelqu'un m'a enduit de gel tandis que je regardais la scène et que j'avais l'air d'être vraiment mort. Puis ils posèrent les électrodes sur moi et il y eut un grand choc. Rien ne s'est produit la première fois. Mais la seconde, cela me fit faire un bond en arrière : je sentis que j'étais aspiré et que je perdais connaissance. Puis plus rien.»

L'homme d'affaires de 32 ans survécut et put relater son aventure. Ses parents se souviennent encore du moment où les chirurgiens leur dirent que son cœur avait cessé de battre et qu'ils allaient tout faire pour tenter de le sauver en dépit de leurs maigres chances de succès. Son médecin, le docteur Mohammed Ataik, fut lui aussi déconcerté par cet incident. «Je ne veux pas mettre sa parole en doute, déclara-t-il au Times, mais je ne peux fournir aucune explication médicale.»

De tels épisodes de décès temporaire sont étonnamment courants. Au terme d'une étude de plus d'une centaine de cas, Moody a démontré qu'une personne faisant l'expérience de la mort imminente sera sujette à un certain nombre de sensations archétypes. En effet, dans la plupart des cas, le patient ou l'accidenté ressent généralement une sensation de paix au moment où il se rend compte qu'il est mort; puis il entend un grand fracas avant de se sentir «quitter son corps» et se déplacer vers une lumière blanche intense; parfois, il voit son passé défiler instantanément devant lui. Enfin, cette expérience en reste souvent là, puisque le témoin regagne son corps automatiquement ou se voit ordonner d'y retourner par un «être» qu'il rencontre dans l'au-delà. Nombre d'admirateurs des travaux de Moody croient que des cas comme celui dont il a été question ci-dessus équivalent à une preuve de notre survie après la mort. Mais les faits ne sont pas aussi clairs qu'ils le prétendent. En effet, ces dernières années ont été marquées par des tentatives pour discréditer ces études, tandis que d'autres scientifiques essayaient de reproduire ces découvertes. Il en a résulté une controverse scientifique aussi fascinante que les affirmations initiales de Moody. À l'heure actuelle, les chercheurs ont constaté que l'étude des NDE est plus complexe et plus confuse que ne le pensaient les partisans enthousiastes de Moody.

Le docteur Robert Kastenbaum, psychologue de l'université du Massachusetts et rédacteur en chef d'Oméga - The Journal of Death and Dying, l'une des plus prestigieuses publications consacrées à l'étude psychologique de la mort, est un critique déclaré de la théorie de l'après-vie. Kastenbaum éprouve un réel intérêt pour la recherche de preuves de la vie après la mort; il a même organisé un symposium sur la mort imminente à l'occasion d'une réunion récente de l'Association des psychologues américains. Néanmoins, il a lancé des attaques virulentes à l'encontre du mouvement de la survie. Il précise dans un article publié dans le numéro de septembre 1977 du magazine Human Behaviour que toutes les personnes ayant frôlé la mort n'ont pas connu la mort temporaire. Selon le psychologue, il semble que ces états de décorporation restent rares et que, par conséquent, nul n'est en droit d'extrapoler à partir de données aussi limitées que la NDE est une expérience humaine universelle. Il indique également que des personnes s'étant trouvées à l'article de la mort ont souvent eu des expériences totalement différentes de ce que Moody et ses disciples ont rapporté. Ainsi, il est des individus qui ne quittent jamais leur corps au moment de la mort clinique, mais qui restent conscients dans leur corps, même s'ils paraissent être dans le coma ou sans vie.

«L'existence d'autres types de récits d'approches de la mort ne discrédite pas en soi ceux qui suscitent tant d'intérêt en ce moment, écrit Kastenbaum. Toutefois, cela nous empêche d'accepter a priori, comme le voudraient certains, que le passage de la vie à la mort est un processus rempli de joie.» Selon lui, ces événements ne permettent pas de conclure que l'après-vie existe.

D'autres critiques se font l'écho des opinions de ce psychologue : ils accusent les partisans de la survie de fonder leurs conceptions sur un nombre restreint de récits. En outre, ils affirment que pour reconnaître la validité des données de Moody, il serait nécessaire d'interroger un grand nombre de personnes ayant frôlé la mort, pour ainsi déterminer si la NDE est une expérience courante ou simplement le fruit de récits exceptionnels émanant d'un petit groupe de sujets et recueillis hors contexte. Par chance, ces études objectives ont depuis lors été effectuées et leurs conclusions se sont révélées être tout à fait dans la ligne des découvertes initiales de Raymond Moody.

Témoignages relatifs à la mort imminente

Une étude de ce type fut entreprise en 1976 par le docteur Michael Sabom, cardiologue de la faculté de médecine de l'université d'Emory, en Géorgie, et par son assistante Sarah Kreutziger qui recueillirent les témoignages de personnes ayant été déclarées cliniquement mortes.
En tout et pour tout, ils parlèrent à 100 patients, 71 hommes et 29 femmes, qui avaient frôlé la mort. Ils constatèrent que 61% d'entre eux avaient vécu l'expérience classique de la mort imminente telle que l'avait décrite Moody en 1975. Ces sujets avaient subi cette expérience dans les conditions cliniques les plus diverses : arrêts cardiaques, accidents et même suicides.

«La cohérence des détails de ces 61 morts temporaires était étonnante» écrivirent Sabom et Kreutziger dans la dernière édition de 1978 de la revue trimestrielle Thêta. «Pendant l'expérience autoscopique, tous les sujets remarquèrent la sensation de «flotter hors de leur corps», qui ne ressemblait à rien qu'ils avaient vécu précédemment.» Tandis qu'ils étaient «détachés» de leur enveloppe charnelle, les patients pouvaient observer celle-ci en détail.
Nombre des cas étudiés par Sabom et Kreutziger sont prati-

quement identiques à ceux rapportés par Moody. L'un d'entre eux concernait un vigile qui avait subi un infarctus du myocarde tandis qu il subissait des soins à l'hôpital. Je ne pouvais plus continuer à souffrir comme ça, déclara-t-il aux chercheurs. À ce moment précis, ce fut le noir absolu. Puis, après quelques instants, je flottais, je pouvais regarder vers le bas et je n'avais jamais remarqué que le carrelage était noir et blanc. Je me reconnus, couché en chien de fusil.»

Le vigile assista en spectateur détaché aux tentatives du médecin pour le réanimer en stimulant son cœur à l'aide d'électrochocs. «Il me sembla que j'avais la possibilité de regagner mon corps et de courir le risque qu'ils me raniment ou alors je pouvais choisir de ne rien faire et de mourir, si ce n'était déjà fait. Je savais que je ne courais aucun danger, que mon corps meure ou non. Ils ont envoyé une seconde décharge et j'ai alors regagné mon corps sans aucun problème.» Le patient n'eut jamais la sensation de voir une intense lumière blanche, ni de voyager vers l'au-delà. Mais ce fut le cas pour certains des autres sujets de l'étude.

En conclusion de leur étude, Sabom et Kreutziger affirment que l'expérience de la mort imminente est réelle. Ils précisent que ce phénomène est très différent du type d'hallucinations suscitées par les attaques cérébrales temporales, les narcotiques, la dépersonnalisation (lorsque le sujet se sent aliéné par rapport à son corps a cause du stress) ou l'autoscopie pathologique (par laquelle le sujet se voit lui-même). Toutefois, l'une des conclusions formelles de leurs recherches est que les personnes ayant subi la mort temporaire ont survécu à cette expérience en étant persuadées qu'en fin de compte elles connaîtraient l'après-vie. Mais l'importance de ces recherches va bien au-delà de ces conclusions.

Cas véridiques

Le docteur Michael Sabom travaille maintenant au Centre

médical de l'administration des Anciens Combattants à Atlanta. Lorsqu'il fut convié à la réunion annuelle de l'Association des psychologues américains, organisée à Los Angeles en 1981, pour y faire une communication sur la mort imminente, il décrivit les recherches auxquelles il s'est consacré à la suite des études rapportées ci-dessus. Le docteur Sabom expliqua que, quoiqu'il ait été intéressé au premier chef par les récits de patients souffrant de troubles cardiaques dans les hôpitaux où il exerçait, il s'était rapidement mis à rechercher des récits provenant de sources différentes. Ce qui l'impressionna tout particulièrement, au fur et à mesure qu'il rassemblait un nombre croissant de cas, fut le fait que ses patients et d'autres témoins avaient assisté à leur opération ou à leur réanimation pendant leur mort temporaire.
Il fut frappé de ce que nombre de ces informateurs avaient vu et correctement décrit des procédures qui étaient bien au-delà des compétences médicales de profanes. Depuis lors, le docteur Sabom a publié plusieurs de ces cas.

L'un d'entre eux met en scène un veilleur de nuit de 52 ans, originaire du nord de la Floride. Cet homme avait accumulé de nombreux problèmes cardiovasculaires, si bien qu'il fut admis au centre médical de l'université de Floride en novembre 1977 pour la pose d'une sonde cardiaque. Sabom était interne dans cet hôpital à l'époque, ce qui lui permit de suivre ce cas du début à la fin. Le patient avait subi une mort temporaire pendant une opération précédente et fait une seconde expérience de projection hors du corps en janvier 1978, à l'occasion d'une opération à cœur ouvert.

Ce qu'avait ressenti le veilleur de nuit était relativement classique. Il raconta qu'il avait perdu conscience après que l'anesthésiste avait procédé à une injection. Il expliqua qu'il était revenu à lui pendant l'opération, mais qu'à ce moment-là il voyait tout ce qui se passait à partir d'un point placé à une cinquantaine de centimètres de son corps. Ce point de vue

privilégié lui permettait de bien le regarder, de même que tout ce qui se déroulait. Il précisa qu'il se sentait «comme une autre personne dans la pièce»; il regarda les deux chirurgiens qui s'affairaient sur son corps et qui le suturèrent une fois l'opération achevée. Étant décorporé, le patient fut également à même d'observer les détails des techniques chirurgicales employées.
Ainsi, il vit un des deux médecins insérer une seringue dans son cœur en deux occasions, les injections ayant été effectuées dans chacune des deux moitiés de l'organe. Il remarqua également que son visage était recouvert d'un drap et fut étonné par la nature diffuse et peu abondante de la lumière dans la salle. En outre, son cœur et l'apparence de celui-ci durant l'opération déconcertèrent le veilleur de nuit.

«Ils avaient placé toutes sortes d'instruments dans l'ouverture, raconta-t-il à Sabom. Je crois qu'on les appelle des pinces, il y en avait partout. J'étais stupéfait, car je pensais qu'il y aurait du sang partout, mais en fait il n'y en avait pas beaucoup... Et le cœur ne ressemblait pas à l'image que je m'en étais faite. C'est gros. En plus, le docteur en avait retiré des petits morceaux. Et ça n'a pas la forme que j'imaginais : le mien ressemblait plutôt au continent africain, avec une partie renflée en haut et une autre plus fine vers le bas. On pourrait aussi dire qu'il est comme un haricot. Peut-être que le mien a une forme bizarre... La surface était rosée et jaune. J'ai pensé que la zone jaune était de la graisse ou quelque chose comme ça. Pas très ragoûtant. Une grande zone sur la droite ou la gauche était plus foncée que le reste au lieu d'être de la même couleur.»

Bientôt l'homme fut totalement absorbé par l'observation de cette opération à cœur ouvert et écouta les chirurgiens discuter des procédures qu'ils envisageaient ou qu'ils mettaient en œuvre. Ils évoquèrent un pontage, examinèrent une veine trop dilatée et allèrent jusqu'à retourner son organe pour mieux le voir. Le patient remarqua qu'un des médecins avait des chaussures vernies et que l'autre avait un petit caillot de sang sous un ongle.

Le docteur Sabom était tellement intrigué par ce récit et son entrevue avec cet homme qu'il fit des recherches sur ce cas et lut le rapport du chirurgien concernant l'opération. Il découvrit que ce que le patient avait raconté était une description incroyablement fidèle, pour un profane, des procédures que les chirurgiens avaient en effet employées. Ainsi, un écarteur autobloquant avait été utilisé, le patient avait subi un anévrisme qui avait décoloré une partie de son cœur et l'organe avait bien été retourné pendant l'opération. Même la seringue qu'il avait vue insérée dans son cœur avait joué un rôle : elle avait été utilisée pour extraire de l'air et ceci en deux occasions. Ce qui impressionnait tant le docteur Sabom, c'était le luxe de détails techniques que recelait le récit de cet homme. Ce n'était pas ce à quoi on aurait pu s'attendre de la part d'un profane, ce qui constituait une indication essentielle que la NDE pourrait s'avérer un phénomène bien plus significatif que ce que pensaient jusqu'alors les médecins. La curiosité du docteur Sabom fut d'autant plus stimulée lorsqu'il retrouva le cas d'une habitante de l'État du Missouri qui avait subi l'opération d'une hernie discale en 1972. Elle aussi avait été témoin de son opération alors qu'elle était décorporée et en avait fait un récit très précis par la suite. Tout l'intérêt du cas résidait dans le fait qu'elle avait vu le chef de service effectuer l'opération alors qu'elle avait cru comprendre que ce devait être l'interne de service qui la dirigerait. Ce ne fut que plus tard qu'elle apprit que ce n'avait pas été le cas et quoiqu'elle n'avait jamais rencontré le chef de service au préalable, elle le reconnut d'emblée lorsqu'elle le vit pendant sa convalescence.
Avec de tels cas dans ses dossiers, le docteur Sabom se mit bientôt à rechercher activement les récits où des personnes ayant frôlé la mort décrivaient les procédures médicales utilisées pendant leur opération ou leur réanimation. Les récits

répertoriés proviennent surtout de victimes d'arrêts cardiaques, puisqu'il s'agit de la spécialité de ce médecin. Selon lui, si ces observations se révèlent être correctes, ces cas très spéciaux fourniront d'excellents témoignages de l'existence, de l'authenticité et de la nature métapsychique de l'expérience de la mort imminente. Le cardiologue a pour l'heure réussi à réunir 32 cas d'individus qui ont vu leur propre corps pendant leur mort temporaire, dont 6 patients victimes d'arrêts cardiaques se remémorant très précisément les détails de leur réanimation. Il ne s'agit pas là de nombres importants, mais la qualité de ces témoignages compense ce défaut.

L'un des cas étudiés par le docteur Sabom concerne une ménagère de 60 ans qui avait été hospitalisée pour une douleur persistante dans le dos. Elle était assise dans son lit quand elle fut apparemment victime d'une crise cardiaque qui lui fit perdre conscience. Elle revint à elle quelques instants plus tard et vit qu'elle se trouvait à présent à côté de son lit, à observer les tentatives effectuées pour la réanimer : une infirmière se précipita vers son corps qui gisait inerte, se mit à donner de grands coups sur sa poitrine, lui fit une injection, contrôla son pouls et examina ses yeux. Tandis qu'elle était décorporée, la patiente observa de près l'appareillage qu'on était en train d'utiliser : elle vit ce qu'elle appela «une machine à respirer», de même qu'«un chariot avec un tas de trucs dessus», où en fait se trouvait le matériel utilisé pour lui faire la piqûre. En outre, elle entendit un médecin dire à une infirmière qu'il fallait l'envoyer de toute urgence dans le service de réanimation, et vit qu'on sortait ses affaires des tiroirs pour les mettre dans ses bagages.

Lorsque le docteur Sabom parvint à interroger cette personne, il apporta un soin particulier à lui faire préciser ce qu'elle avait dit à propos du chariot où se trouvait le matériel et lui demanda si les médecins y avaient pris des instruments. Elle répondit que ce n'avait pas été le cas, mais ajouta : «La chose pour respirer qu'ils ont mise sur mon visage était une chose conique qui me couvrait le nez. Pendant que le docteur poussait sur ma poitrine, il m'ont mis ça. Ils ne l'ont pas laissé très longtemps, il l'ont enlevé. Je suppose qu'ils pensaient que ça ne servait à rien.»

Afin de valider l'expérience du témoin, le docteur Sabom prit contact avec l'hôpital où elle avait été soignée et lut le rapport relatif à cette urgence. Tout ce qu'elle avait raconté se trouva confirmé, alors qu'elle n'avait jamais eu accès à son dossier médical. Il conclut donc , que sa description de la réanimation cardiaque était «extrêmement réaliste d'un point de vue médical» : la préparation d'une intraveineuse, le massage cardiaque externe, la mise en place d'un masque à oxygène, la vérification du pouls à la carotide et des réactions de la pupille, ainsi que le ramassage et l'étiquetage des effets personnels. Mais Sabom ne s'arrêta pas en si bon chemin, car il s'étonnait de ce qu'elle affirmait avoir reçu une injection au tout début de la tentative de réanimation. Le rapport de l'hôpital précisait également ce point : en effet, on lui avait administré une injection de glucose concentré pour le cas où son coma aurait été dû à une hypoglycémie.

Le docteur Sabom prit connaissance d'une description encore plus saisissante de réanimation cardiaque de la part d'un ouvrier agricole de 46 ans, originaire d'une bourgade de Géorgie. Son cœur avait cessé de battre à la suite d'une crise cardiaque dont il avait été victime en janvier 1978. Il était hospitalisé à cette époque, si bien qu'il était dans une situation idéale pour observer les dispositions qui furent prises pour sauver sa vie tandis qu'il était décorporé. Sabom interrogea le témoin en janvier 1979, si bien que ces événements étaient encore très nets pour lui. Le patient se souvenait avec précision non seulement de sa mort temporaire, mais aussi de ce qui l'avait suscitée.

«J'avais l'impression que j'allais être malade, déclara-t-il au cardiologue. Je m'accrochai au rebord du lit et vomis, et c'est là mon dernier souvenir avant de me retrouver flottant au plafond.» Puis le patient se vit qui gisait dans le lit, dont les rebords n'avaient pas été repliés. Son médecin et sa femme étaient là, en même temps qu'une troisième personne qu'il ne reconnut pas. Son épouse pleurait, mais l'attention de l'ouvrier fut bientôt monopolisée par les tentatives effectuées pour le sauver. Il regarda passivement une infirmière munie d'un défibrillateur placer les électrodes sur son corps. Celui-ci fit un bond de près de 30 centimètres lorsqu'il reçut la décharge électrique, choc qui mit un terme à sa projection hors du corps. Il se sentit littéralement obligé de regagner son corps, comme si on l'y faisait rentrer de force.

Après avoir fait ce bref récit, le patient se vit pressé par le docteur Sabom de fournir davantage de détails sur l'utilisation de l'appareil qui avait été essentiel pour sauver sa vie. Le témoin se mit donc en devoir d'expliquer qu'il avait vu l'infirmière frotter les électrodes après s'en être emparée, puis qu'elle avait mis le défibrillateur en marche en basculant un interrupteur placé à gauche de l'appareil auquel les électrodes étaient raccordées. Il ajouta qu'on avait demandé à tout le monde de s'écarter.

Une fois de plus, les archives de l'hôpital furent vérifiées et la précision des déclarations du patient établie. Le docteur Sabom était particulièrement impressionné par la description qui lui avait été faite des électrodes, dans la mesure où le témoin avait décrit des procédures que seul le personnel hospitalier était en mesure de connaître. Les électrodes sont recouvertes d'un lubrifiant et il est habituel de les frotter l'une contre l'autre afin de le répartir également en vue d'assurer un contact optimal avec la peau. De plus, il avait indiqué l'endroit exact où elles avaient été appliquées. Puisque le patient avait mentionné son épouse qui pleurait dans la salle, Sabom interrogea également celle-ci au sujet de cette intervention. Elle corrobora le récit de son mari et expliqua qu'elle l'avait vu vomir juste avant qu'il s'évanouisse. Elle s'était mise à pleurer uniquement après avoir pensé que son époux n'avait plus conscience de ce qui l'entourait.

L'épouse du témoin avait été toute retournée par cette affaire, en particulier lorsque son mari lui dit ce qu'il avait vu quand il semblait inanimé. Elle déclara à Sabom que le récit de son mari correspondait à ce qu'elle se rappelait de la scène et des tentatives qui suivirent pour faire repartir son cœur.

Expériences sur la mort imminente

Avec de tels cas dans ses dossiers, le docteur Sabom était de plus en plus convaincu qu'il n'était pas possible d'écarter la mort imminente comme étant une hallucination ou un rêve. Et pourtant, un doute ne cessait de l'assaillir : était-il possible que ces patients aient imaginé ce qu'impliquait une réanimation cardiaque à partir de ce qu'ils avaient lu, vu à la télévision ou appris par le truchement d'autres sources? Il s'agissait là d'une possibilité bien réelle, puisque certains de ses principaux témoins avaient subi plus d'une crise cardiaque. Selon lui, il n'était pas possible d'écarter le fait qu'ils avaient pu connaître les techniques de réanimation et l'appareillage médical du fait de leurs séjours à l'hôpital. La plupart des témoins refusèrent de l'admettre, mais Sabom était loin d'être certain qu'ils n'aient pu avoir accès à ces connaissances d'une façon entièrement inconsciente.

Afin d'explorer cette possibilité, le docteur Sabom entreprit une étude particulièrement significative. Il se mit à interroger des patients «expérimentés» au sujet de ce qu'ils connaissaient de ces techniques. Certains avaient subi des opérations à cœur ouvert ou des crises cardiaques, qui impliquaient diverses formes de traitement, de sorte que la plupart avaient eu l'occasion de voir comment on utilisait des électrocardiographes, des défibrillateurs et des appareils du même ordre. On demanda à chaque patient d'imaginer qu'ils regardaient une équipe médicale réanimer une personne ayant subi un arrêt cardiaque et de décrire avec le maximum de détails les procédures qui étaient adoptées. Ces interviews furent enregistrées puis analysées.

Les résultats furent tout bonnement stupéfiants, dans la mesure où tous les patients firent une description erronée de ces procédures. L'erreur la plus commune consistait en la croyance très répandue parmi les patients qu'on utilise le bouche-à-bouche, ce qui est rarement le cas dans les hôpitaux puisque des moyens plus efficaces y sont disponibles. Ils avaient aussi tendance à mal décrire la façon dont on dégageait les voies respiratoires des patients et concevaient de manière très confuse tant le massage cardiaque que la défibrillation. Seules trois des personnes interrogées par Sabom réussirent à donner une description acceptable des techniques de réanimation, mais cela restait néanmoins très limité. Le médecin en conclut qu'en règle générale, même des patients au fait des techniques hospitalières ont des notions extrêmement rudimentaires de ce qui se produit lorsqu'on tente de ranimer la victime d'un arrêt cardiaque. Il remarqua que leurs suppositions étaient bien moins précises que les récits des personnes qui avaient vraiment assisté à ces procédures tandis qu'elles étaient décorporées.

En conséquence, le docteur Sabom fait peu de cas de la conception selon laquelle les gens qui ont vécu une mort temporaire se sont contentés de «rêver» leur réanimation à partir de leurs connaissances préalables. Selon lui, il faut chercher une autre explication pour rendre compte de ces résultats.

Le fait que les observations d'ordre médical réalisées par les personnes ayant frôlé la mort peuvent être d'une précision incroyable est démontré dans un autre cas recensé par le docteur Sabom. Un ancien pilote d'avion qui avait pris sa retraite en Floride fut victime d'une crise cardiaque très aiguë en 1973; le lendemain matin, alors qu'il se reposait à l'hôpital, il subit un arrêt du cœur - dans son sommeil, selon toute vraisemblance. En effet, dans son premier souvenir de son expérience de la mort temporaire, il était debout à côté de son corps tandis que des infirmières entraient en toute hâte dans la chambre. La description qu'il fit de la façon dont il fut réanimé est extraordinairement détaillée.

Il raconte : «La première chose qu'ils firent fut de préparer une piqûre. Ils m'injectèrent beaucoup de lidocaïne, car je faisais de l'arythmie. Ils me soulevèrent et me mirent sur le contreplaqué. C'est à ce moment que le docteur commença à me donner de grands coups sur la poitrine; ça ne faisait pas mal, pourtant, il m'a fêlé une côte. Je ne sentais pas la douleur.»

Puis on lui administra de l'oxygène, procédure que le patient entendit avec autant de précision qu'il la vit. «Ils me donnaient déjà de l'oxygène, un de ces petits tubes qu'on met dans le nez; ils le retirèrent et me mirent un masque qui couvre la bouche et le nez. Je me souviens que c'était quelque chose à pression, cela sifflait comme si c'était sous pression. Il semble que quelqu'un a tenu cette chose pratiquement tout le temps.»

Il précisa que c'était «une sorte de masque en plastique mou, de couleur vert clair». Ce masque était attaché à un tuyau qui amenait l'oxygène. Il se souvint également de l'utilisation du défibrillateur et qu'il s'était plongé dans l'observation du cadran. Celui-ci comportait deux aiguilles dans un boîtier carré; l'une d'entre elles avait été positionnée par une infirmière, tandis que l'autre ne cessait de se déplacer le long des graduations. «La seconde aiguille semblait remonter très lentement, expliqua-t-il. Elle ne remontait pas d'un seul coup. L'autre aiguille est restée dans sa position initiale durant toute la durée de la réanimation.» Le patient compara à un ampèremètre, un voltmètre ou un «appareil qui enregistre» la façon qu'avait l'aiguille de monter de plus en plus haut avant l'application de chaque décharge électrique sur son corps. Il conclut son récit en fournissant une description du défibrillateur et des méthodes utilisées pour appliquer les électrodes sur le corps.

La description des procédures de réanimation était non seulement extrêmement précise, mais le récit par l'ancien malade de la façon dont se déplaçaient les aiguilles était d'une exactitude troublante, à des lieues des compétences de quelqu'un qui n'a pas vu un défibrillateur en action ou qui n'a pas été entraîné à son maniement. Les appareils utilisés dans les années 70 possédaient bien deux aiguilles sur leur cadran : l'une d'entre elles ne bougeait pas puisqu'elle était utilisée pour présélectionner la quantité d'électricité qui serait déchargée dans le corps du patient; l'autre indiquait que la machine se rechargeait et se déplaçait donc lentement le long du cadran. Ces défibrillateurs ont depuis été remplacés par des appareils plus modernes qui ne comportent plus de cadran, mais les souvenirs du pilote collaient parfaitement au type d'appareil en service au moment de son arrêt cardiaque.

Toutefois, se peut-il que le pilote ait pu voir fonctionner un appareil de ce genre en une autre occasion? Le patient nia toute connaissance préalable de cet appareil et Sabom fut considérablement impressionné par la façon qu'il avait de relativiser la portée de son expérience. Jusqu'à ce jour, l'ancien malade du cœur répète qu'elle était ce qu'il y a de plus ordinaire. «Je n'ai pas changé ma façon de voir la vie, la mort, l'au-delà ou quoi que ce soit», déclara-t-il au docteur.

Puisque l'ancien pilote n'a aucun intérêt à utiliser son expérience pour prouver quoi que ce soit, il semble peu probable qu'il ait menti pour la rendre impressionnante. Les cas résumés brièvement dans ce chapitre ne représentent qu'une fraction de ceux que le docteur Sabom a rassemblés. Il serait possible d'en citer d'autres, certains comportant de nombreux détails, mais cela n'apporterait rien de plus que ceux qui ont été cités. Ils indiquent tous que les personnes qui font l'expérience de la mort temporaire pendant un arrêt cardiaque ou toute autre urgence médicale demeurent véritablement conscients de ce qui leur arrive, des procédures qui sont employées pour les réanimer et de ce que dit l'équipe médicale qui se trouve dans la pièce. Des recherches ultérieures effectuées par le docteur Sabom et ses collègues ont également démontré que le niveau technique de ce que ces patients voient et entendent est bien supérieur à ce que sait communément le public des techniques de réanimation. Il ne semble pas faire de doute que les recherches du cardiologue constituent le plus important ensemble de faits réfutant les hypothèses selon lesquelles la mort imminente relève des bizarreries du cerveau, des hallucinations dues à la sous-oxygénation ou d'une quelconque anomalie psychologique. Le docteur Sabom rejette aussi la théorie selon laquelle ces récits pourraient se réduire à des inventions du subconscient, la sécrétion d'endorphine dans le cerveau, des attaques cérébrales temporales ou toute autre cause physiologique. Les faits indiquent que ces événements se résument à ce qu'ils sont : la libération de la conscience hors du corps lorsqu'on voit la mort de très près.

Se pourrait-il donc que l'expérience de la mort imminente représente les premières étapes de la libération de l'âme par rapport au corps? Voici ce qu'en dit Sabom dans son ouvrage Recollections of Death (Souvenirs de la mort) :

«En tant que médecin et scientifique, je ne peux bien sûr affirmer de façon catégorique que la mort temporaire représente ce qui nous attend au moment de la mort clinique définitive. Ces expériences furent vécues à un moment où la vie ne tenait

plus qu'à un fil. Les auteurs de ces récits ne sont pas revenus de l'au-delà, ils ont été sauvés à un point très proche de la mort. Ainsi, ces expériences sont à proprement parler celles de la mort imminente et non pas de la mort elle-même. Dans la mesure où je pense que cela correspond à une séparation du cerveau et de l'esprit, je ne peux m'empêcher de me demander pourquoi un tel événement ne se produit qu'à l'approche de la mort. Se pourrait-il que l'esprit qui se sépare du cerveau au moment de la mort imminente soit en essence l'«âme», qui continue d'exister après la mort physique définitive, si l'on en croit certaines doctrines religieuses?»

Nouvelles perspectives

Une étude similaire a récemment été entreprise par le docteur Kenneth Ring de l'université du Connecticut. En l'espace de deux ans. Ring interrogea 102 personnes ayant frôlé la mort. Au cours de ses travaux, il avait bercé le même espoir que le docteur Sabom, c'est-à-dire découvrir si les données de Raymond Moody étaient correctes et tenter de déterminer si la façon dont on frôle la mort influe sur l'expérience. Au départ, il constata que 41% des personnes interrogées avaient vécu des morts temporaires classiques, mais il avait également remarqué que le contenu de ces expériences de mort imminente se produisait de façon graduée. Ceci requiert quelques explications. En vue de ses recherches. Ring avait établi une classification de la mort temporaire selon cinq types d'éléments :

1. le sujet éprouve une sensation de paix au tout début;
2. il éprouve la sensation d'avoir quitté son corps;
3. il pénètre dans l'obscurité;
4. il voit une lumière;
5. il «pénètre» dans cette lumière.

Le chercheur considérait que c'étaient là des phases de la mort temporaire. C'est en classant les récits qu'il avait recueillis selon ces phases qu'il découvrit un phénomène de gradation. Ainsi, 60% de ses témoins avaient éprouvé une sensation de paix au moment de la mort, tandis que seulement 40% avaient vécu une expérience de projection hors du corps physique; enfin, de 10 à 15% avaient perçu une lumière vive ou s'étaient fondus en elle alors qu'ils se déplaçaient vers l'au-delà. Cela tendrait à prouver que plus on s'approche de la mort imminente en tant que telle, plus on passe par des phases nombreuses.

Ring découvrit également qu'il existe de petites différences dans la manière de percevoir la mort imminente, selon la nature du décès, qui conditionnera même l'existence de cette expérience. Ainsi les malades sont plus à même de la subir, juste devant les accidentés; en revanche, les suicidés présentent la probabilité la plus faible de connaître la mort temporaire. Les personnes dont la mort imminente est violente sont ceux qui ont le plus de chances de voir leur vie «défiler». Par ailleurs, Ring a découvert un fait fascinant : les individus qui se considèrent croyants ne sont pas plus prédisposés à vivre cette expérience que les agnostiques.

Dans leurs écrits, les docteurs Ring et Sabom affirment que les données qu'ils ont rassemblées ne sont pas simplement la confirmation des découvertes initiales de Moody, mais qu'elles démontrent la vraisemblance de l'après-vie. Il s'agit là d'une conclusion stupéfiante, qui a irrité de nombreux membres de la communauté médicale. Néanmoins, les recherches prudentes de ces scientifiques chevronnés ont elles aussi suscité des critiques. En effet, il reste des questions à résoudre avant que les conclusions de Ring, Sabom et Moody puissent être considérées comme des preuves de l'existence de l'après-vie. La plus importante est qu'il est impossible de savoir si les témoins qu'ils ont interrogés étaient réellement morts puisqu'il est extrêmement difficile de définir le moment exact où on passe de vie à trépas. Le fait que les personnes qui relatent leur expérience survivent au choc de la mort peut signifier qu'en fin de compte elles n'étaient pas si proches de la mort. En effet, l'expression «mort clinique» est plutôt impressionniste : il ne s'agit pas d'une définition précise. En général, elle s'applique à des individus dont le cœur a cessé de battre un moment pendant une opération ou au cours d'une crise cardiaque. Ce critère est pourtant bien discutable pour prononcer la mort d'une personne. L'examen des ondes cérébrales est un meilleur critère, car le cerveau d'une personne qui vient de mourir ne produit plus d'activité électrique : une électroencéphalographie ne détectera rien. Malheureusement, peu de personnes déclarées cliniquement mortes étaient branchées à un tel appareil au moment crucial.

Des critiques ont par ailleurs fait remarquer qu'au moment où un patient se rapproche de la mort, il est tout à fait possible qu'il souffre d'anoxie, c'est-à-dire d'arrêt de la distribution d'oxygène au cerveau. Cet état peut entraîner des hallucinations et pourrait susciter l'expérience de la mort temporaire. Cela la réduirait à une hallucination passagère qui n'aurait donc plus rien à voir avec la survie.
Ces deux problèmes - notre ignorance face à la réalité de la mort des personnes s'étant projetées hors de leur corps et la possibilité que l'anoxie soit la cause de leur expérience - sont particulièrement ardus à réfuter. Or, en mai 1979, la International Association for Near-Death Studies annonça avoir découvert à Denver un médecin qui avait amassé assez de données pour mettre en pièces ces deux critiques. Ces nouveaux faits tendent à prouver que la NDE est bien une véritable séparation de l'esprit et du corps.

Le docteur Fred Schoonmaker, cardiologue en chef de l'hôpital St. Luke, s'intéresse à cette question depuis 1961, mais ce n'est qu'en 1979 qu'il rendit ses données publiques. Entretemps, il avait étudié plus de 1000 cas de mort clinique au cours de son exercice de la médecine et avait découvert que 60% des patients ayant subi un arrêt cardiaque avaient par la suite fait des récits relatifs à la mort temporaire. Bien qu'il n'ait pas effectué d'évaluation formelle de ses données et qu'il n'ait pas suivi de protocole scientifique pour les réunir, le docteur Schoonmaker a rassemblé sur ses cas autant d'informations médicales et descriptives que possible. Ces données sont parmi les plus précieuses qui aient été recueillies sur la question. En de nombreuses occasions, les personnes suivies par le docteur Schoonmaker étaient contrôlées par toute une batterie d'appareils au moment où elles ont fait l'expérience de la mort imminente. Le médecin de Denver a ainsi rassemblé plusieurs récits de morts temporaires qui se produisirent à un moment où il pouvait être démontré scientifiquement qu'il n'y avait aucune anoxie. Par ailleurs, il a étudié des patients qui avaient subi une mort clinique alors qu'ils étaient connectés à un électroen-céphalographe et a ainsi rassemblé 55 cas où des patients présentant un électroencéphalogramme plat (c'est-à-dire une activité électrique du cerveau nulle) avaient raconté comment ils avaient frôlé la mort. Selon tous les critères médicaux, ces individus étaient irrémédiablement morts au moment de leur expérience.

Expériences négatives de mort temporaire

Quoique plusieurs chercheurs aient à présent reproduit les résultats de Raymond Moody, cela n'a pas été le cas de tous. Un cardiologue du Tennessee, le docteur Maurice Rawlings, est un de ceux qui ont rassemblé des récits bien différents, car ils s'écartent des scénarios sereins, apaisants et transcendantaux de Moody, Sabom et Ring. Certains de ces récits font état d'expériences si terrifiantes qu'elles ont conduit Rawlings, un fervent chrétien, à croire que l'enfer existe bel et bien.

Il découvrit ce type d'expérience de la mort temporaire en

tentant de réanimer un de ses patients victime d'un arrêt cardiaque : celui-ci ne cessait de crier qu'il était en enfer. Le cardiologue rassembla par la suite de nombreux exemples de mort imminente infernale. Ainsi, l'une des personnes interrogées, qui avait connu ce type d'expérience à l'issue d'une crise cardiaque, fit le récit suivant :

«Je me souviens que je n'arrivais pas à reprendre ma respira tion, puis j'ai dû perdre connaissance. Ensuite, j'ai vu que je sortais de mon corps. Ce dont je me souviens, c'est que je suis entrée dans une pièce lugubre où j'ai vu dans une des fenêtres un énorme géant au visage grotesque qui me fixait du regard. Il y avait des petits lutins ou des elfes qui couraient sur le rebord et qui semblaient être avec le géant. Celui-ci me fit signe de venir avec lui. Je ne voulais pas y aller, mais je ne pouvais faire autrement. Au dehors, tout était noir, mais j'entendais des gens gémir autour de moi. Je sentais des choses bouger à mes pieds. À mesure que nous avancions dans ce tunnel ou cette grotte, les choses empiraient. Je me souviens que je pleurais. Puis, sans que je sache pourquoi, le géant me laissa aller et me renvoya d'où je venais. J'eus l'impression d'être épargnée. Je ne sais pourquoi. Puis je me souviens de m'être retrouvée dans mon lit d'hôpital. Le docteur m'a demandé si j'avais pris de la drogue. Il est probable que ma description ressemblait au délirium tremens. Je lui ai répondu que je n'avais pas cette habitude et que cette histoire était vraie. Elle a complètement changé ma vie.»

Dans son livre, Beyond Death's Door (Au-delà des portes de la mort), Rawlings rapporte qu'un cinquième des patients qu'il a réanimés après un arrêt cardiaque ont relaté des sensations de mort temporaire désagréables; aussi ce médecin se montre-t-il extrêmement critique envers les autres chercheurs dans ce domaine. Il suggère que la plupart des personnes qui ont vécu cette expérience désagréable en inhibent le souvenir dans leur mémoire. Dans la mesure ù la plupart des chercheurs mènent leurs enquêtes des semaines, voire des mois, après la mort clinique, Rawlings est convaincu que leurs données sont faussées et que les siennes sont plus objectives et plus complètes. En tant que cardiologue, il a l'avantage de réunir ses cas juste après que ses patients soient sortis de leurs épreuves.

À son tour, il a fait l'objet de critiques de la part d'autres chercheurs qui ont affirmé que ces expériences «infernales» sont en fait des constructions mentales, des hallucinations en réaction aux violentes épreuves physiques (telles que les coups sur la poitrine et la stimulation électrique) qui font partie des techniques de réanimation. Néanmoins, les données de Rawlings pourraient être difficiles à écarter. En effet, un psychologue de l'Institut de recherche sur le cancer de la faculté de médecine de l'université de Californie à San Francisco, le docteur Charles Garfield, a lui aussi rassemblé des données indiquant que la mort n'est sans doute pas toujours une expérience plaisante. Ce médecin a étudié 173 cas de cancéreux incurables, dont certains avaient eu des sensations plutôt désagréables à l'approche de la mort. Tandis que beaucoup racontaient entendre la musique céleste et voir une vive lumière, d'autres voyaient des personnages démoniaques et des images cauchemardesques. Garfield a également interrogé 72 patients ayant eu un infarctus, dont 14 relatèrent des sensations de mort imminente du type de celles évoquées par Moody, alors que 8 avaient eu «des visions très claires de nature démoniaque ou cauchemardesque. Il en a donc conclu que tous n'ont pas une expérience sereine et transcendantale de la mort. Cependant, au contraire de nombre de ses confrères chercheurs en ce domaine, il ne croit pas que la mort temporaire signifie obligatoirement qu'il y ait une après-vie. Il pense qu'il ne pourrait s'agir que de visions qui se produisent lorsque nous atteignons des états de conscience différents. Ces états mentaux ont peut-être peu de rapports avec le processus réel de la mort.

On ne peut qu'être d'accord avec le docteur Garfield en ce que l'étude de la mort imminente n'est pas un problème réglé d'avance. Cependant, les expériences déplaisantes remarquées par Rawlings et Garfield semblent être l'exception qui confirme la règle, même au sein de leurs données; de plus, elles sont totalement absentes de celles d'autres chercheurs. Par ailleurs, elles ne témoignent en rien contre la possibilité de la survie. En effet, nombre de maîtres spirituels et de religions enseignent qu'il se peut qu'il y ait plusieurs «niveaux» dans l'au-delà, dont certains seraient plus hospitaliers que d'autres. Il est possible que certaines personnes aient eu la malchance d'entrer en contact avec les «niveaux inférieurs», dont des mystiques tels qu'Emmanuel Swedenborg avaient parlé dès le XVIIIe siècle.

En fin de compte, il est intéressant de noter que de nombreux médecins et scientifiques, à l'exception de Garfield, sont parvenus, au terme de leurs recherches, à croire à une vie après la mort, même s'ils avaient abordé le phénomène de la mort imminente sans aucune disposition à cet égard. Il se peut fort bien que l'étude de ce problème soit la discipline qui réunira enfin la science et la religion pour une cause commune.
disposition à cet égard. Il se peut fort bien que l'étude de ce problème soit la discipline qui réunira enfin la science et la religion pour une cause commune.

Les contacts spontanés avec l'au-delà

La tragédie commença le 21 février 1977 lorsque la police de Chicago découvrit le corps de Teresita Basa : elle gisait poignardée et partiellement brûlée sur le sol de son appartement situé au 15e étage d'un immeuble. Il ne semblait y avoir aucun mobile au meurtre de cette femme de 48 ans, qui avait quitté ses Philippines natales pour les États-Unis dans les années 60. Elle occupait des fonctions de spécialiste des voies respiratoires à l'hôpital Edgewater, dans le quartier nord de la ville, et était appréciée de ses collègues. Les policiers pensèrent tout d'abord que le meurtre pouvait être le résultat d'une dispute entre amants, mais ils abandonnèrent cette idée après avoir interrogé son compagnon. Ils se retrouvèrent donc dépourvus du moindre indice.

Le fantôme, l'esprit, le spectre de Teresita Basa, quel que soit le nom qu'on veuille lui donner, était une entité agitée, si bien qu'un nouvel acte de ce mystère se joua quatre mois plus tard chez le docteur José Chua, un médecin philippin dont la femme travaillait dans le même hôpital que Teresita au moment du meurtre. Un soir, tandis que les Chua se trouvaient à leur domicile de Skokie, dans la banlieue de la métropole, le docteur fut stupéfait de voir sa femme entrer en transe, se diriger vers leur chambre, s'allonger et se mettre à parler dans sa langue maternelle. «Elle parlait en tagalong (un dialecte philippin), mais avec un étrange accent espagnol, raconta-t-il plus tard.

Elle dit : «Ako'y (je suis) Teresita Basa».» Le docteur admit qu'il avait été particulièrement effrayé lorsque Teresita expliqua que son assassin était un autre employé de l'hôpital. Elle accusa un garçon de salle du nom d'Allan Showery, dont le mobile avait été le vol de ses bijoux. Mme Chua se réveilla de sa transe une fois que l'étrange voix eut achevé son message, mais n'eut aucun souvenir de ce bref épisode. Quant au docteur Chua, il ne savait que faire.

Quelle que fût la nature de ce qui contrôlait Mme Chua, il ne fait aucun doute que cette entité était obstinée. En effet, un autre de ces singuliers états de transe se produisit dans les jours qui suivirent. Cette fois, la voix se plaignit que Showery possédait toujours ses bijoux et qu'il avait offert une bague ornée d'une perle à sa concubine. Une troisième communication eut lieu quelques jours plus tard, à la suite de quoi le docteur Chua décida de prévenir la police.

Naturellement, les inspecteurs chargés de cette affaire, Joseph Stachula et Lee Epplen, se montrèrent sceptiques, mais également désireux de suivre toute piste qui s'offrait à eux. Leurs sources de renseignements habituelles n'ayant rien donné de concret, ils décidèrent de rencontrer les Chua, en mêlant leurs espoirs de cynisme. Quoi qu'il en soit, ils se mirent au travail avec tout le professionnalisme qui convenait. Ainsi, lorsqu'ils arrivèrent chez les Chua, ils commencèrent par demander si «Teresita Basa» indiquait qu'un viol avait accompagné le meurtre. Le docteur répondit que non et expliqua que la voix avait simplement dit que Teresita avait été assassinée. Les enquêteurs furent impressionnés par cette réponse, car cette question faisait partie d'un stratagème : en effet, le rapport d'autopsie leur avait appris que Teresita Basa était vierge au moment de son décès, de sorte qu'il ne faisait aucun doute que les Chua n'étaient pas en train d'inventer leur témoignage. Puis le couple parla de Showery et des bijoux.

L'inspecteur Stachula écrivit quelques mois plus tard : «Je ne sais toujours pas comment ils avaient obtenu ces informations. Et pourtant, tout était absolument vrai.» L'attention de la police se porta sur Showery : une perquisition à son appartement permit de mettre la main sur les bijoux et la bague fut retrouvée au doigt de son amie. Appréhendé et confronté aux témoignages, l'homme signa des aveux reconnaissant le vol et le meurtre. L'enquête fut officiellement déclarée achevée en août.

Cette étrange histoire d'une morte donnant le nom de son assassin aurait sans doute été reléguée aux oubliettes des faits divers si la presse locale de la communauté philippine n'en avait eu vent. Les journalistes du Philippine Herald se heurtèrent à un mur lorsqu'ils essayèrent d'obtenir des renseignements sur l'affaire auprès de la police. Mais le directeur de la publication, Gus Bemardes, se rendit compte qu'il connaissait les Chua. Cela lui permit de réaliser une enquête fouillée qui l'amena à prendre connaissance des autres bizarreries de nature métapsychique de cette affaire. Ainsi, il découvrit que plusieurs collègues de Mme Chua s'étaient plaints de son comportement durant la semaine qui avait précédé le tournant de l'affaire. En effet, elle entrait en transe et se mettait à chanter avec la voix de Teresita, ce qui les avait effrayés. Le Philippine Herald relata l'affaire dans son numéro du 16 août, mais il fallut attendre le 5 mars 1978, date à laquelle le Tribune de Chicago lui consacra sa première page, pour que l'histoire prenne une importance nationale. Le procès d'Allan Showery devant en outre se tenir à cette période, l'intérêt pour cette affaire reprit, d'autant plus qu'il était inévitable que les Chua soient cités à comparaître. Par conséquent, qu'on fût sceptique ou convaincu, cette affaire semblait prometteuse. Or, un problème se présenta : Mme Chua connaissait Teresita Basa relativement bien... du moins beaucoup mieux qu'elle ne l'avait laissé entendre à la police. De plus, il était de notoriété publique à l'hôpital qu'elle connaissait Allan Showery et ne cachait pas son aversion à son égard. Ces nouveaux éléments amenèrent un porte-parole de l'établissement hospitalier à suggérer que les messages émanant de la «voix des esprits» dont Mme Chua s'était faite l'interprète étaient peut-être un stratagème qu'elle avait employé pour exprimer ses propres soupçons. Le porte-parole déclara à la presse : «Je pense qu'il est possible qu'elle ait su quelque chose sur Showery, mais qu'elle n'ignorait pas qu'elle aurait pris un risque pour sa vie et celle de son mari si elle était allée voir les flics directement.» Il indiqua également qu'il n'était pas impossible que Mme Chua ait vu Showery avec certains des bijoux.

Cependant, cette théorie n'explique pas plusieurs aspects insolites de l'affaire, particulièrement le fait que la personnalité de Mme Chua avait commencé à subir des changements quelque temps avant que les messages soient transmis. Ainsi, cette employée ordinairement appréciée avait même été congédiée pour insubordination du fait des soudaines et inexplicables sautes d'humeur qui précédaient ses transes. Par ailleurs, les accusations du porte-parole n'expliquent pas pourquoi les Chua ne se contentèrent pas de donner un coup de fil anonyme à la police. Il va sans dire que, confrontés à un meurtre inexpliqué, les policiers auraient agi à partir de n'importe quelle information leur paraissant fondée.

En 1979, de nouveaux éléments sur la dimension métapsychique de cette affaire furent dévoilés, lorsque les Chua collaborèrent à un petit ouvrage consacré à l'incident. Ainsi, on apprit que le couple avait fini par admettre que les communications en état de transe de l'été 1977 étaient en fait dues à un défi. En effet, durant l'enquête qui suivit immédiatement le meurtre, Mme Chua avait plaisanté en disant à ses collègues de l'hôpital que si la police ne réussissait pas à démasquer l'assassin, le fantôme de Teresita pourrait venir à elle. Elle avait vu l'apparition de la défunte quelque temps plus tard, ce qui signifie que les messages n'étaient que la conclusion d'un long processus d'envahissement de sa personnalité par Teresita. Cette affaire au dénouement mystérieux est à présent classée et seuls les aspects métapsychiques suscitent encore la controverse. Les cas de personnes assassinées qui reviennent d'outre-tombe pour accuser leur meurtrier semblent peut-être faire partie des contes à dormir debout. L'histoire des Chua et de leur étrange parcours métapsychique fait davantage penser aux pages d'Edgar Allan Poe qu'à une étude de cas appartenant au domaine de la recherche parapsychologique. Pourtant, ce retour de l'esprit de Teresita Basa n'est pas unique dans les annales de la science métapsychique, puisque des cas similaires ont été mentionnés dès la fin du siècle dernier.

Ce phénomène joua un rôle crucial dans le procès qui suivit le décès d'une jeune mariée en Virginie-Occidentale, en 1897. La victime, Zona Heaster Shue, avait été trouvée sans vie par son forgeron de mari au pied de l'escalier de leur domicile, et le corps avait été rapidement porté en terre sans qu'un examen médical ait été pratiqué. La théorie de l'accident ne fut pas jugée convaincante par tout le monde, surtout à partir du moment où la mère de Zona commença à recevoir la visite du fantôme de sa fille, qui se plaignait d'avoir été assassinée. Des fonctionnaires de Greenbrier Valley ordonnèrent que son corps soit exhumé et constatèrent que le cou de la jeune femme avait été brisé. Son époux fut immédiatement arrêté pour meurtre. Pendant le procès, les contradictions de son témoignage à la barre ne firent que confirmer sa culpabilité. Mme Heaster déclara au cours du procès que sa fille lui était apparue quatre nuits d'affilée pour lui expliquer que son mari l'avait battue, furieux qu'elle n'ait pas préparé son dîner. Les jurés ne délibérèrent que pendant 10 minutes avant de condamner le mari.

Une histoire encore plus pittoresque et dont les détails sont mieux connus fut publiée en 1911 par le professeur James Hyslop, de la Société américaine pour la recherche métapsychique. Elle avait trait à l'enquête qu'il avait menée sur les affirmations de Mme Rosa Sutton, de Portiand dans l'Oregon. Celle-ci disait avoir commencé à recevoir la visite de son fils défunt en 1907. Lieutenant à Annapolis, il s'était apparemment donné la mort après une rixe avec d'autres officiers. Son apparition ne cessa de se manifester, décrivant comment le jeune homme avait été rossé puis assassiné par les autres officiers.

L'apparition fournissait de nombreux détails sur sa blessure : l'exhumation du corps confirma que le jeune homme avait été battu de manière conforme à la description, mais ce meurtre ne donna jamais lieu à aucune poursuite.

Plus récemment, un cas de cette nature fut rapporté par l'agence de presse UPI : en 1970, M. Romer Troxell, 42 ans, habitant à Livittown en Pennsylvanie, se rendit à Portage dans l'Indiana pour s'occuper du corps de son fils, qui avait été assassiné. On avait retrouvé le cadavre sur le bord d'une route, sans aucun papier sur lui. La «voix» du garçon assassiné ne cessa de harceler l'esprit de M. Troxell à partir du moment où sa femme et lui arrivèrent dans la ville. Il déclara à la police que la voix l'avait conduit au meurtrier tandis qu'il roulait dans les rues pour retrouver la voiture de son fils qui avait été volée. La voix lui indiqua précisément le chemin, si bien qu'il repéra rapidement le véhicule.

«Je fis demi-tour et suivis la voiture, en laissant un peu de distance, expliqua-t-il. Je voulais foncer sur la voiture jaune, mais Charlie me prévint qu'il ne fallait rien faire de tel.» Aussi se contenta-t-il de suivre le véhicule jusqu'à ce que son conducteur s'arrête et en sorte. À ce point, il demanda au meurtrier de lui fournir des indications au sujet de la provenance de la voiture, pendant qu'un membre de la famille courait chercher la police. Les agents arrêtèrent le conducteur plus tard grâce à leurs propres renseignements confidentiels, dont ils n'avaient jamais fait part à M. Troxell. «Charlie m'a quitté après l'arrestation du meurtrier, déclara Troxell. Mon fils repose en paix à présent. Les policiers étaient sur la piste du meurtrier; ça, je m'en suis rendu compte plus tard lorsqu'ils m'ont montré ce qu'ils avaient découvert pendant leur enquête. Mais quand j'ai entendu mon fils me guider, j'ai agi. Il est possible que le Seigneur ait voulu que cela se passe ainsi.»

Fréquences des contacts avec l'au-delà

M. Troxell, Mme Rose Sutton et Mme Chua étaient tous persuadés avoir été confrontés à la présence vivante des morts, aucun ne doutant ne serait-ce qu'un instant d'être entré en contact direct avec l'outre-tombe. Naturellement, il est possible que les transes de Mme Chua aient été la manifestation psychologique des soupçons qu'elle nourrissait envers Showery et qui étaient fortement ancrés dans son subconscient. De même, il se peut que M. Troxell et Mme Sutton aient construit leurs communications à partir de leur profond besoin de croire que la mort n'est pas la fin de tout, leurs informations ayant éventuellement une origine télépathique. Mais est-il envisageable que ces épisodes aient été d'authentiques contacts avec l'au-delà?

Il s'agit là d'une idée qui peut sembler aujourd'hui quelque peu surannée, mais elle n'en mérite pas moins d'être prise en considération, ne serait-ce qu'à cause du nombre étonnamment élevé de récits qui la recoupent. Bien que tous ces cas ne soient pas aussi dramatiques et spectaculaires que ceux dont il vient d'être question, il existe un nombre croissant de preuves que le contact avec les morts, ou du moins ce que les personnes prennent pour tel, est relativement fréquent dans notre culture.

Les psychologues firent cette découverte au début des années 70, lorsqu'ils se mirent à étudier la psychologie de la mort et du deuil. Le docteur W. Dewi Rees publia une étude majeure sur ce sujet dans le British Médical Journal en 1971, où il rendait compte «des hallucinations du veuvage». Cet article était une véritable révélation. En effet, Rees avait interrogé 293 veuves et veufs sur ce qu'ils avaient vécu à la suite du décès de leur conjoint, et avait découvert que près de la moitié croyait avoir été en contact passager avec le défunt depuis sa disparition. Rees avait appris que ces contacts se produisaient non seulement immédiatement après le décès, mais parfois des années plus tard. Certains de ces cas étaient des interactions télépathiques fugaces, tandis que pour d'autres il s'agissait d'apparitions à part entière. Il était manifeste qu'une nouvelle dimension psychologique du deuil était en train d'être découverte. Lorsque les conclusions de Rees furent divulguées, elles éveillèrent la curiosité des chercheurs de Wayne State University, au point qu'ils décidèrent de refaire cette étude. Ils obtinrent des résultats similaires.

Ces pionniers en la matière ne croyaient pas que les personnes interrogées communiquaient réellement avec l'au-delà et préféraient s'en tenir à l'idée qu'ils étudiaient un aspect psychologique insolite du processus de deuil. Pourtant, une étude basée sur cette idée, réalisée en 1974 par le docteur Richard Kalish et David K. Reynoids, ne parvint pas à démontrer que le choc du veuvage provoque des modifications psychologiques significatives. En effet, ils ne constatèrent aucune différence entre les veuves qu'ils interrogèrent et un groupe témoin constitué de femmes âgées. Leur seul résultat important fut d'apprendre une fois de plus que les personnes endeuillées faisaient relativement souvent état de contacts avec les morts. Or, aucune donnée dans cette étude n'indiquait l'existence d'une théorie expliquant cet état de fait.

L'une des difficultés rencontrées par le docteur Kalish dans le cadre de cette étude résidait en un point dont il ne pouvait être conscient à l'époque. En effet, les psychologues et les autorités médicales qui se consacraient à la psychologie du deuil au début de la recherche en cette matière se fondaient sur des prémisses discutables, puisqu'ils croyaient que la communication avec l'au-delà était un phénomène l'au-delà affectant uniquement les personnes âgées ou portant le deuil d'un proche. Or, ils ne prenaient pas en ligne de compte le fait que ces contacts sont courants dans toutes les couches de la population. Ce n'est que plus avant dans la décennie qu'on fit cette découverte, qui a depuis lors été confirmée en plusieurs occasions.

L'étude déterminante à cet égard fut encore l'œuvre du docteur Kalish et de Reynoids, qui menèrent leur enquête dans le sud de la Californie. Ils travaillèrent sur un échantillon représentatif du public dans l'espoir de découvrir des différences culturelles dans l'attitude envers la mort et au cours de la période qui s'ensuit. Les deux chercheurs interrogèrent 434 adultes d'origine afro-américaine, japonaise, mexicaine et caucasienne, puis répartirent leurs données selon des critères de race, d'âge et de sexe.
Certains des résultats furent à proprement parler stupéfiants. En effet, plus de 50% des femmes interrogées affirmèrent avoir eu des contacts spontanés avec l'au-delà, le pourcentage des hommes s'établissant à un tiers. Ces contacts se produisaient le plus souvent dans les rêves, mais ceux-ci étaient plus vivaces qu'à l'accoutumée. Il fut également fait mention de visites de la part des défunts, qui s'exprimaient sous forme de voix, d'apparitions et de présences ressenties sur le plan psychologique. Cette dernière caractéristique se distinguait un peu de l'expérience des veufs et des veuves, qui rapportaient

assez souvent avoir «ressenti une présence». Les psychologues notèrent également que ce que les gens avaient vécu leur était généralement plus agréable qu'effrayant, et qu'il arrivait parfois que ces contacts soient partagés par des tierces personnes.

Bien qu'il s'agisse là d'un aveu étonnant, ce point fut passé sous silence par les psychologues au moment de soumettre leurs données à interprétation; à l'évidence, ces scientifiques s'intéressaient davantage à l'aspect démographique. Il apparut donc que la culture n'influait pas sur l'expression de cette expérience du contact avec l'au-delà, puisque Kalish et Reynoids constatèrent que tous les groupes ethniques relataient des cas semblables. Leur conclusion la plus significative fut que les Afro-Américains et les Mexicains la mentionnaient plus souvent que les Caucasiens et les Orientaux. Par ailleurs, les premiers trouvaient cette expérience plus effrayante et indiquaient que leurs contacts étaient plus visuels et plus auditifs que les seconds. (Il se peut que ces deux caractéristiques n'aient pas été indépendantes, dans la mesure où l'une aurait pu entraîner l'autre.)

En dépit du caractère novateur de cette étude de Kalish et Reynolds, leurs conclusions paraissent à présent comporter des défauts. En effet, on peut considérer que la prise en compte des données fut entachée de distorsions lorsqu'on procéda au calcul des statistiques, problème que les psychologues n'examinèrent ou ne reconnurent même pas. D'après leurs conclusions, il est indéniable que la culture exerce une influence sur l'expérience subjective du contact avec l'au-delà, mais ils n'envisagèrent pas la possibilité que certains groupes acceptent plus volontiers que d'autres de faire état de tels contacts alors que d'autres sont plus disposés à les écarter comme irrationnels. Les deux psychologues auraient dû prendre cette possibilité en compte dans la mesure où le mode de l'expérience (c'est-à-dire la forme qu'elle prenait) ne variait en fonction d'aucun facteur démographique. Il est évident qu'ils avaient affaire à un phénomène qui transcende les particularismes culturels.

Les deux chercheurs californiens ne parvinrent même pas à trouver de corrélation entre la vigueur des sentiments religieux des témoins et la probabilité de rapporter des contacts avec l'au-delà. En fait, les personnes interrogées qui ne se considéraient pas particulièrement croyantes faisaient état de plus de communications après la mort que celles qui l'étaient profondément. Par ailleurs, moins les personnes étaient instruites et plus elles rapportaient de tels contacts - mais ce résultat devait probablement beaucoup à une variable déconcertante, dont je traiterai plus tard. Les chercheurs firent une autre découverte qui ne manqua pas de susciter leur étonnement : «Les veuves et autres personnes qui ont subi la perte d'un proche ne représentaient pas une aussi grande proportion des récits que nous l'avions escompté.» La seule exception concernait le sous-groupe des Noirs.

En bref, il fut impossible de fournir une quelconque explication psychologique à ces expériences, ce qui n'empêcha pourtant pas le docteur Kalish d'écarter la réalité métaphysique du contact avec l'au-delà. Sa conclusion finale était la suivante : «Je ne crois pas que ces personnes soient entrées en communication avec l'outre-tombe. Je ne mets pas en doute le fait que ces expériences étaient très précises, semblaient réelles et n'étaient ni des rêves ni des symptômes d'instabilité émotionnelle.» En conséquence, on est en droit de se demander ce qu'elles représentaient pour lui. Selon lui, «elles indiquent que l'intensité de la perte est extrêmement persistante et que les liens qui unissaient la personne au défunt sont particulièrement forts.» Il conclut que les prétendus contacts provenaient du propre cerveau des témoins.
En dépit de ces conclusions personnelles, cette étude novatrice a contribué à éclairer cet aspect de la psychologie de la

mort. Il est clair que le «contact avec l'au-delà» est une sensation très commune et que de telles expériences se produisent au sein de cultures très différentes, que leur expression ne connaît que peu de variations et qu'elles sont vécues à tous les âges de la vie. Ceci vient contredire l'idée selon laquelle elles résulteraient principalement du deuil. Pourtant, les données de Kalish et Reynolds ne sont pas les seules du genre.

En effet, des caractéristiques très semblables se présentèrent lorsqu'une équipe de chercheurs de Chicago reproduisit leurs travaux. Ces scientifiques constatèrent que 25% des 1500 personnes qu'ils avaient interrogées avaient déclaré être entrées spontanément en contact avec l'au-delà - la proportion était plus élevée encore chez les jeunes et les personnes âgées. Les chercheurs établirent également, comme l'avaient fait leurs prédécesseurs, qu'il existait une plus grande probabilité que les Noirs aient ces contacts après la mort, et que les juifs et les protestants faisaient état de cette expérience plus souvent que les catholiques. Cependant, à l'inverse de leurs collègues californiens, les scientifiques de Chicago étaient tout à fait conscients que nombre de leurs résultats pouvaient constituer autant d'artefacts. Les récits des veufs et des veuves n'influençaient pas les données. En revanche, il semblait une fois de plus que les personnes les moins instruites vivaient plus souvent cette expérience, ou en parlaient plus facilement que celles qui avaient un niveau d'instruction plus élevé. Or, les chercheurs parvinrent à démontrer que ce résultat était faux, dans la mesure où les personnes âgées, qui sont les plus à même de faire de tels récits, ont un niveau scolaire inférieur à celui des jeunes générations.

Contacts spontanés après la mort

Les problèmes flagrants que connurent ces études furent plus d'ordre statistique qu'expérimental : en effet, pas plus les chercheurs de Californie que ceux de l'Illinois ne semblaient s'intéresser au contenu des réponses fournies par les personnes interrogées, à la dimension humaine de ce qu'on leur disait. Ces personnes étaient-elles oui ou non en contact avec l'au-delà? Nulle réponse à cette question dans les statistiques : il faut avoir recours aux études de cas.

Le problème trouva une solution partielle en 1980 lorsque Julian Burton décida d'étudier la même question, mais d'un point de vue plus humaniste. Il travaillait à son doctorat de psychologie lorsqu'il décida d'utiliser ses données comme base de travail pour sa thèse. Le docteur Burton a expliqué par la suite que la conception de son projet était issue d'un drame personnel. En effet, sa mère était morte d'une crise cardiaque en avril 1973 à l'âge de 67 ans. «Je m'étais toujours senti très lié à elle, mais dès le mois de septembre, la plupart des membres de la famille, ayant accepté sa disparition, avaient repris leur routine de vie.»

Or, le lien qui unissait le fils et sa mère ne devait pas se rompre à ce moment-là. «Un soir de septembre, la même année, ma femme et moi recevions des invités. Je découpais un ananas dans la cuisine lorsque je perçus derrière moi ce que je pris pour les pas de ma femme, vers la droite. Je me retournai pour demander où se trouvait un saladier, mais je me rendis compte qu'elle était passée à gauche, hors de mon champ de vision. Je me tournai dans cette direction pour réitérer ma question et vis ma mère qui se tenait là. Elle était bien visible, paraissant beaucoup plus jeune qu'au moment de sa mort.
Elle portait une tunique diaphane bleu clair, garnie de plumes de marabout, que je ne lui avais jamais vue...»

Il n'eut pas plus tôt appelé que la silhouette s'évanouit progressivement. «Le lendemain matin, je téléphonai à ma sœur pour lui conter ce qui s'était passé. Elle le prit mal et commença à sangloter en demandant pourquoi notre mère n'était pas venue la voir. J'étais ennuyé. Je lui demandai si elle croyait ce que je venais de lui raconter, sur quoi elle répondit que oui, elle savait que c'était vrai. Je voulus savoir pourquoi elle était si certaine. Elle répondit qu'elles étaient allées faire des courses ensemble deux semaines avant la crise cardiaque et que Maman avait essayé la tunique bleu pâle que j'avais décrite. La robe lui allait comme un gant et elle en avait vraiment envie, mais les 200 $ qu'elle coûtait l'avaient fait hésiter.»

Cette visite incita Burton, qui avait 42 ans à l'époque, à retourner à l'université et à finir son doctorat. «C'est l'apparition de ma mère qui me donna l'idée de mon sujet de recherche, admet-il. Je sentais que bien des gens avaient des histoires similaires à raconter.» Burton mit au point un questionnaire qui demandait aux personnes interrogées si elles avaient déjà reçu des visites de l'au-delà et si celles-ci s'étaient reproduites, et d'indiquer leurs liens de parenté avec le ou les revenants ainsi que la nature des expériences.

Au début, il confia son questionnaire à des groupes de recherche métapsychique de la région de Los Angeles, mais il adopta rapidement une nouvelle stratégie lorsqu'il vit le pourcentage très élevé de réponses affirmatives. Il soupçonnait les personnes interrogées d'être influencées par leur intérêt pour les questions métapsychiques, de sorte qu'il envoya le questionnaire aux facultés de psychologie de trois universités de la ville.

Or, il y eut encore 50% de réponses affirmatives parmi les étudiants! À ce jour, le docteur Burton a rassemblé des données sur 1500 personnes et a joint des conclusions très importantes aux enquêtes de Californie et d'Illinois. Lui aussi a constaté que les personnes âgées sont enclines à de tels contacts, bien quelles n'en aient pas le monopole. La majeure partie de ces expériences étaient des rêves ou des sensations subjectives, même s'il y avait également des récits impliquant des voix, des visions en état de veille et des apparitions.

De plus, il était manifeste que cette expérience avait une importance considérable, puisque pour 60% des personnes âgées de 16 à 60 ans, elle les fît changer totalement d'attitude envers la mort. Pourtant, ce sont les cas eux-mêmes qui impressionnaient vraiment Burton : certains étaient très semblables au sien. Voici ce qu'il écrit à ce sujet :

« Dans les derniers temps de la rédaction de ma thèse, un jour où je travaillais à la maison, Lita Canales, une femme d'une trentaine d'années qui faisait le ménage chez moi de temps en temps, vint me voir et me raconta deux histoires. Un jour, alors qu'elle était en train de nettoyer ma chambre, Lita entendit un «sifflement admiratif». Pensant qu'il s'agissait d'un ouvrier qui regardait à l'intérieur (bien que j'habite au deuxième étage), elle continua ce qu'elle était en train de faire. Le sifflement retentit de nouveau. Lorsqu'elle leva la tête, elle entendit une voix de femme l'appeler deux fois par son nom. Elle regarda dans les autres pièces, mais ne vit personne. Malgré le fait que cela lui donnait des frissons et la chair de poule, elle n'y pensa plus jusqu'au moment où elle arriva chez elle et trouva une lettre venant du Salvador qui lui annonçait la mort de sa meilleure amie. La mère de cette dernière écrivait que le cadeau de Lita, une paire de chaussures, était arrivé trois heures avant son décès. Cette nouvelle agit comme un catalyseur : le sifflement admiratif était un code entre elle et son amie pendant leur enfance. La clarté et la simplicité de ce récit est typique de bon nombre de ceux que j'ai entendus et lus pendant mes recherches. »

On trouvera ci-dessous un autre cas qu'un jeune étudiant rapporta à Burton à propos de la mort de sa grand-tante. Il est manifeste qu'il n'y avait pas entre eux de forts liens affectifs, d'où cette expérience à la psychologie apparemment anormale :

« J'appris sa mort dès mon retour de l'école. Il me fallait néanmoins repartir bien vite pour me rendre au catéchisme.

Je montai dans ma chambre pour prendre mon livre et, au moment où je tendais le bras pour m'en saisir, je m'arrêtai et me retournai tout doucement. Il y avait sur mon lit une femme qui semblait transparente, les mains croisées sur ses genoux; elle était assise là et me souriait. Je ne l'avais pas vue depuis que j'étais tout petit, mais, bizarrement, je sus qu'il s'agissait de ma grand-tante, qui venait de mourir. Pendant des années, nous avions entretenu une correspondance, et j'écris toujours à sa sœur, avec qui elle vivait.
Je me rendis compte de ce qui était en train de se passer, mais je n'avais pas peur, car j'étais empli d'une intense sensation d'amour. Absolument rien dans cette expérience n'était menaçant ou gênant. Je restai très calme et décidai de bien observer ce à quoi elle ressemblait, ce qu'elle portait, etc. Lorsqu'elle s'en fut, je descendis et contai ce qui s'était passé à ma mère et à ma sœur. Si j'avais jamais eu peur de la mort auparavant, ce n'est plus le cas. J'ai la ferme conviction qu'il existe une sorte de vie après la mort. Je ne suis pas sûr que si l'un ou l'autre des membres de la famille avait vécu une expérience du même ordre, il en aurait parlé. »

La façon dont le docteur Burton considère ces récits est tout aussi significative. En effet, il croit que ce type d'expériences, celle qu'il a vécue et toutes celles qu'il a rassemblées, ont trop tendance à être passées sous silence. Selon lui, de nombreuses personnes ont tout bonnement peur qu'on mette en doute leur santé mentale. Il prétend que ce problème a été aggravé par les professionnels de la psychologie qui ont tendance à écarter ces cas comme étant irrationnels : on rejette ces expériences en les imputant au désir du témoin de se «raccrocher» au mort ou en les réduisant à des hallucinations dues au chagrin du deuil. «Mais avons-nous le droit d'agir ainsi? demande-t-il. J'espère que d'autres vont étudier ce phénomène et ajouteront leurs informations à l'accumulation croissante de preuves montrant que ces expériences sont à la fois courantes et normales. Pourquoi ne pas envisager le jour où les classiques histoires de fantômes céderont le pas à la prise de conscience du fait que les visites de défunts peuvent faire partie de la vie de tous les jours?»

Mais en dépit de la nature très émotive et souvent impressionnante de ces expériences humaines, les sceptiques pourraient fort bien s'en donner à cœur joie pour les réfuter. Peu de ces cas sont aussi véridiques que celui du docteur Burton et encore moins sont d'une qualité telle qu'ils auraient pu impressionner favorablement les fondateurs de la recherche métapsychique au siècle dernier. Comme le suggère Julian Burton, la plupart des récits peuvent être rejetés comme étant les fantasmes d'accomplissement de désirs de personnes malheureuses ou endeuillées. Même les cas les plus complexes où un facteur métapsychique a joué un rôle évident peuvent être expliqués de façon plus «terre à terre». Ainsi, il est possible que Burton ait eu recours à la simple voyance en suscitant inconsciemment l'apparition de sa mère, et ainsi de suite. La recherche sur la survie s'enlise souvent dans de telles problématiques : ce sont en fait les mêmes questions qui déconcertaient les pionniers en cette matière, dès le XIXe siècle.

Contacs oniriques avec l'au-delà

Il est significatif que la plupart des chercheurs qui se sont intéressés aux contacts spontanés avec les morts aient constaté que les contacts oniriques en sont le principal mode d'expression. Il s'agit cependant de la forme de contact après la mort la plus aisée à écarter. Ce fait n'a néanmoins pas conduit les chercheurs à abandonner totalement ce champ d'investigation. Le docteur Robert Crookall, scientifique anglais aujourd'hui disparu qui sacrifia sa retraite à la recherche sur l'après vie, a longtemps prétendu qu'il est possible que des entités intelligentes soient à l'origine des contacts oniriques. Il fit cette affirmation dans «Dreams» of High Significance (Des «rêves» hautement significatifs), un ouvrage paru en 1974.

Mme Helen Solem de Portiand, dans l'Oregon, qui partage actuellement son temps entre son activité de comptable et la recherche métapsychique, a récemment relancé le débat en entreprenant la collecte d'un très grand nombre de ces cas. Elle lança son projet sur le rêve en 1983, à la suite de sa propre expérience dans ce domaine. Elle se mit bientôt à enregistrer les récits d'autres personnes et fut à même de rassembler un corpus assez considérable. Mon intérêt pour les travaux de Mme Solem est dû à mon souci de voir publiés les cas véridiques de contacts avec l'au-delà. C'est pourquoi, lorsque j'appris que la chercheuse lançait son projet, je lui demandai d'être attentive aux cas impliquant des éléments de preuve de la survie. Par la suite, certains de ces cas furent soumis au magazine Fate (où j'exerce les fonctions de conseiller scientifique).

Certains des récits que Mme Solem a recueillis sont relativement simples. Une femme du troisième âge raconta à l'enquêteuse qu'elle avait fait un rêve en 1906 dans lequel elle avait entendu son frère défunt lui parler. La voix l'informait qu'elle devait faire un choix crucial entre sa fille, qui avait un an et demi, et l'enfant qu'elle portait. La voix n'invitant pas à la discussion, la jeune femme choisit à contrecœur de garder le bébé qui allait naître sous peu. Le fin mot de cette histoire se produisit environ trois semaines plus tard, lorsque sa fille tomba du porche et décéda à la suite de ses blessures à la tête. «Lorsqu'elle m'a raconté cela bien des années plus tard, explique Mme Solem, cette femme m'a dit être persuadée que cette expérience était destinée à l'aider à surmonter cette période désastreuse.» L'avertissement lui permit de rester saine d'esprit en empêchant son chagrin de l'accabler. Les sceptiques ne manqueront pas de se moquer en disant qu'il est possible, en supposant que cette expérience ait bien été de nature métapsychique, que cette prédiction ait été issue de l'esprit de cette femme. Il s'agirait là d'une supposition raisonnable, mais tous les cas de Mme Solem ne sont pas aussi faciles à réfuter.

Par exemple, une femme du Connecticut lui a raconté que son beau-père défunt était venu la trouver dans son sommeil le lendemain de son enterrement. Il désirait l'informer qu'il y avait, caché dans sa chambre, un livret de banque dont elle ignorait l'existence et qui lui permettrait de récupérer 2800 $. Cette femme fut en butte aux moqueries de tous, y compris de son époux, jusqu'à ce qu'une fouille révèle le livret en question. En outre, les avoirs déposés dans le compte correspondaient bien à la somme indiquée dans le rêve.

Un autre de ces cas plus complexes fut relaté par une ménagère que Mme Solem se contentait d'appeler par son prénom, Gwen. «Jusqu'au décès de ma mère en 1959, déclare Gwen, je ne me souviens pas particulièrement d'avoir jamais rêvé d'une personne défunte. Cependant, sa mort survenue à la fleur de l'âge, 49 ans, m'avait laissée totalement désemparée. Par la suite, elle vint à moi en rêve en de multiples occasions, surtout lorsque quelque chose me laissait perplexe ou agitée.» Cette femme apprit bientôt qu'elle pouvait demander conseil à sa mère et que ce personnage de rêve ne se ferait pas prier pour répondre.

Une nuit, par exemple, elle rêva à une pièce remplie de cercueils et réalisa intuitivement que son père allait mourir. Elle prit peur, mais sa mère apparut et la réconforta, lui promettant d'aider celui qui avait été son mari à passer dans l'au-delà. La suite de ce drame se produisit quelques jours plus tard, lorsque son frère l'appela de Virginie pour lui annoncer que leur père était à l'hôpital. Son état était critique : il avait des hémorragies et les médecins voulaient effectuer un pontage. Gwen savait que l'opération serait vaine, mais elle désirait que son père ait toutes les chances d'en réchapper. La mort de son père, qui survint quatre jours plus tard, ne la prit pas au dépourvu. En effet, Gwen n'apprit pas la nouvelle par l'hôpital ou la famille : très tôt ce matin-là, sa mère vint à elle en rêve pour lui signifier que tout était «fini». Elle se réveilla et vit qu'il était 7 heures. Ce n'est que plus tard qu'elle reçut un appel de l'hôpital lui annonçant que son père était mort à 7 h 10 le matin même. Lorsqu'elle se retira dans sa chambre le soir des obsèques, quelques jours plus tard, elle demanda s'il lui serait possible de voir son père en rêve pour lui parler. Sa mère vint à elle une fois de plus et lui expliqua qu'une telle rencontre ne serait possible que plus tard, une fois que le vieil homme se serait adapté à sa nouvelle existence spirituelle. Et en effet, ce contact onirique se produisit six mois plus tard.

Selon Mme Solem, le rêve n'est pas seul en cause dans les cas de ce type : «Si l'on en croit les autorités en la matière, le rêve se résume à un processus de restauration de l'équilibre émotionnel, par lequel nous nous débarrassons du stress et de nos tensions de la journée. Mais lorsque des informations claires, directes et jusqu'alors inconnues nous parviennent par ce biais, il doit y avoir quelque chose en plus... Il est possible que de tels rêves nous soient communiqués par le truchement des aspects supérieurs de notre moi, mais quand les défunts y font leur apparition, il est logique de conclure qu'une véritable relation entre les vivants et les morts se manifeste.»

Naturellement, c'est là où le bât blesse : sera-t-il un jour possible de déterminer le point où s'achève l'activité de notre esprit et où commence celle d'une intelligence extérieure? Il s'agit là du problème que doit affronter le chercheur quand il tente d'évaluer les expériences humaines subjectives, qui ne se départent jamais de leur complexité et de leur subtilité.

Autres formes de contacs

Certains chercheurs ont commencé à étudier la littérature ayant trait aux visions de la dernière heure pour essayer de résoudre ce problème. Ces cas constituent un aspect essentiel de la problématique des preuves de la survie, mais on ne pourra que les évoquer ici.

Les patients à l'article de la mort «voient» souvent des apparitions de défunts venant les accueillir et les emmener «de l'autre côté». Au tout début de la recherche métapsychique, on recueillit même quelques rares cas de mourants qui voyaient un ami dont ils ne savaient pas qu'il était mort récemment. La découverte véritablement capitale eut lieu dans les années 60 et 70, lorsque le docteur Osis de la Société pour la recherche métapsychique réussit à démontrer que nombre de ces mourants n'étaient pas affectés psychiquement et qu'ils ne réagissaient pas aux médicaments connus pour leurs effets hallucinatoires. Quelque temps plus tard, lui et son collègue Erlendur Haraldsson, de l'université de Reykjavik en Islande, purent prouver que les visions de la dernière heure ne sont pas un phénomène lié à une culture particulière. Le point central, une fois de plus, est que les recherches en psychologie ont démontré que le contact subjectif avec l'au-delà (que ce soit par le biais de visions, de rêves ou de présences ressenties) ne peut pas être expliqué par quelque mécanisme connu que ce soit.

Cependant, le docteur Osis reconnut que ces cas ne pouvaient servir de preuve indéniable de la survie après la mort, dans la mesure où certains facteurs psychologiques non définis jusqu'à présent pourraient venir les expliquer. Aussi reprit-il l'étude des apparitions en général, en espérant trouver des preuves de l'après-vie. Le cas dont il est le plus fier était particulièrement complexe et fit l'objet d'une communication de sa part en 1983 à l'occasion du 26e congrès annuel de l'Association parapsychologique à l'université Fairleigh Dickinson.

Le docteur Osis commença sa présentation en évoquant la possibilité que toutes les apparitions ne représentent pas le résultat d'un seul processus métapsychique. «J'ai déjà souligné en d'autres occasions que les expériences impliquant des apparitions sont beaucoup plus cohérentes quand nous nous autorisons à postuler différentes interprétations pour chacune d'entre elles, plutôt que de les considérer globalement comme si elle étaient fondamentalement de même nature. Le présent cas est un spécimen d'un type d'apparition dans laquelle celui qui apparaît semble avoir des objectifs bien arrêtés.» Il s'agissait là d'une intervention courageuse à propos d'un phénomène passé de mode chez les parapsychologues qui explorent la controverse de la survie.

Les personnes impliquées dans ce récit ayant insisté pour garder l'anonymat, le docteur Osis dut changer leur identité. Ce cas s'articulait autour du décès à l'âge de 50 ans d'un homme d'affaires nommé Leslie, marié et père de 3 enfants. L'autre personnage de cette histoire est le fils défunt de Leslie, Rusty, mort enfant quelque 18 mois avant son père. Leslie mourut en 1982 dans un accident aérien - l'avion de tourisme qu'il pilotait s'écrasa dans le sud des États-Unis, les causes exactes de l'accident étant à ce jour toujours mystérieuses. La famille fut prévenue le lendemain : le plus gros souci des proches, en dehors de leur chagrin, concernait la mère de Leslie, Marge, personne âgée qui avait des problèmes de santé et dont ils pensaient qu'elle ne supporterait pas le choc de la mort de son fils. Une amie de la famille partageait cette inquiétude; très croyante, elle demanda à sa propre mère, qui avait le même âge que Marge, de prier pour elle.

Cette femme savait que Marge était une femme plutôt matérialiste, qui n'accordait aucune foi au métapsychique ou au spirituel, aussi adressa-t-elle ses prières directement au défunt et lui demanda d'apparaître à Marge pour lui donner un «signe» de la continuation de son existence. Elle lui demanda également de lui apparaître main dans la main avec son jeune fils disparu. Cette femme ne divulgua cette prière à personne d'autre que son époux et la réitéra trois fois dans les jours qui suivirent. Dix heures environ après que ces prières aient été dites. Marge se trouvait dans sa chambre à son domicile lorsqu'elle se réveilla soudainement pour voir deux apparitions au pied de son lit :

« Il était là, Leslie, avec le bébé. Il tenait le bébé par la main... Ils étaient au pied du lit. Ils se regardaient. Je ne dormais plus.
Ils étaient satisfaits, ils étaient heureux de s'être retrouvés, d'être ensemble à présent. Et ils me le faisaient savoir. C'est ainsi que je le ressens. Ils étaient réels. Il y avait comme une grisaille autour d'eux, comme un nuage gris qui les enveloppait. Je dirais qu'il y avait un brouillard gris dans toute la pièce, qu'on ne pouvait pas toucher, juste du gris partout. Mais ils étaient réels, tous les deux. La pièce était sombre : la lumière des lampadaires de la rue filtrait au travers des stores mais je n'avais pas besoin de lumière pour les voir. Il y a beaucoup de circulation là où j'habite, quelle que soit l'heure, il y a des bus et des camions. Il n'y avait pas un seul bruit à ce moment-là, rien d'autre n'existait, comme si le monde s'était arrêté. Et il n'y avait personne d'autre au monde que nous trois... J'avais l'impression qu'ils soufflaient en moi, qu'ils m'insufflaient la vie. Ils me rendaient ma vie. C'est la sensation la plus durable : jamais, au grand jamais, je ne l'oublierai. Ça ne s'était jamais produit avant et ça ne s'est pas reproduit depuis. Ils étaient là, je le crois, pour m'apporter la sérénité. Ça m'a beaucoup aidée. Je ne me suis pas encore remise de mon chagrin, mais ça m'a permis de traverser des moments très durs sans me suicider, car je me sentais vraiment déprimée. J'ai essayé de les retenir et ils sont partis... Ils ont rapetissé et se sont évanouis. »

Mais Marge n'était pas la seule à avoir vécu une visite spectrale cette nuit-là. En effet, la nièce de Leslie, âgée de 6 ans, qui habitait à environ 150 kilomètres de là, savait que son oncle était mort : elle vit son apparition 3 heures avant

Marge. Elle raconta par la suite au docteur Osis qu'elle était éveillée lorsqu'elle vit un nuage dans sa chambre. «Leslie et Rusty étaient là; ils se tenaient la main. Ils paraissaient normaux... C'était vraiment lui.» Il est intéressant de noter que la femme qui avait prié aurait été bien en peine de penser à la petite fille, puisqu'elle ne savait même pas que Leslie avait des nièces.
Le docteur Osis pense que l'hypothèse de la perception extrasensorielle devrait être soumise à des distorsions telles qu'elle en perdrait tout son sens si on voulait qu'elle rende compte de ce cas, puisque Marge n'aurait réagi au supposé message télépathique que plusieurs heures après qu'il aurait été envoyé. En outre, Osis trouvait insolite que la fillette ait reçu un tel message, puisqu'elle ne connaissait pas la femme qui avait prié. Il était également impossible qu'elle ait pris connaissance de ces informations par le truchement de sa grand-tante, car elle avait eu sa vision trois heures avant Marge, avec qui, de surcroît, elle avait peu de rapports.

La présentation de ce cas auprès de l'Association parapsychologique s'acheva sur une conclusion et un avertissement : «Un cas isolé ne peut décider de la question de la survie. Différents chercheurs interpréteront les données à leur manière, chacun selon son système de pensée. Néanmoins, les caractéristiques manifestes de ce cas ne suggèrent certainement pas que les apparitions sont des images statiques dépourvues de conscience. Quelque chose de beaucoup plus puissant et de beaucoup plus déterminé semble être à l'œuvre.»

En conséquence, au moment où la parapsychologie est au seuil de son second siècle d'études, ceux des chercheurs qui se consacrent à la question de l'après vie sont apparemment revenus à leur point de départ : partis de l'examen des rencontres avec l'inconnu, ils ont exploré les domaines de la médiumnité, de la projection hors du corps physique, des visions de la dernière heure et de la mort temporaire, dans le but de démontrer l'immortalité de l'homme. Il semble à présent que les parapsychologues consacrent de nouveau toute leur attention aux apparitions, domaine des plus prometteurs.

Nouvelles considérations sur la réincarnation

De toutes les conceptions de l'après-vie, la réincarnation est sans doute la plus éternelle. De nombreuses cultures primitives acceptent cette doctrine qui, de nos jours, est sans doute le mieux illustrée par plusieurs religions orientales. Traditionnellement, la recherche relative à la question de la réincarnation a été subsumée dans la problématique de la survie. L'idée selon laquelle nous possédons tous une âme et qu'elle peut réapparaître sur terre par le biais d'une sorte de transmigration représente une forme spécifique de la survie après la mort. Que ce processus soit une loi universelle ou qu'il se produise par le choix ou la volonté du défunt n'est pas vraiment crucial. Ce qui l'est, en revanche, c'est que la réincarnation entraîne la survie de notre mémoire et de notre personnalité au-delà de la mort physique, même si c'est dans un cadre conceptuel différent de celui auquel nous sommes habitués.

Les preuves de la réincarnation impliquent également un état plus conventionnel de survie personnelle pendant au moins un laps de temps limité. Dans les cas qui seront résumés au fil de ce chapitre, des mois, voire des années, se sont écoulés entre la mort de la personnalité initiale et son éventuelle réincarnation. Cette période relativement longue implique donc certainement qu'une forme de survie personnelle existe entre-temps.

Par conséquent, il ne s'agit pas d'une doctrine intrinsèquement opposée au concept de survie individuelle : au contraire, des éléments probants indiquent qu'un tel état la précède nécessairement. D'où il s'ensuit que la réincarnation est une partie inhérente et importante de la problématique de l'après-vie. Jusqu'à ces dernières années, ce concept était considéré par la plupart des Occidentaux comme une idée exotique associée à un certain nombre de religions non chrétiennes, en particulier l'hindouisme et le bouddhisme. Cependant, au sein même de l'Occident, des gens ordinaires, qui n'avaient jamais entendu parler de cette doctrine, ont affirmé récemment avoir vécu une «réincarnation».

Par exemple, la lettre reproduite ci-après me fut envoyée par une jeune femme vivant en Virginie, qui n'avait aucune croyance en la réincarnation, mais se mit à y croire à la suite d'une expérience personnelle. Il ne s'agit pas pour elle d'une doctrine abstraite à laquelle elle souscrit par un acte de foi, mais d'une réalité concrète. Un jour de 1971, elle se rendait à Baltimore, dans le Maryland, en compagnie d'une amie de Paterson, dans le New Jersey. Originaire du Tennessee, elle venait de s'installer dans le New Jersey, si bien qu'elle découvrait cet État.

« Nous roulions dans le New Jersey et je me sentais bizarre : tout le paysage m'était totalement familier... Je me suis tournée vers Joanne et je lui ai dit : «Tu sais, je ne suis jamais venue par ici, mais je crois que dans environ un kilomètre et demi, il y a une maison dans laquelle j'habitais jadis.» À mesure que nous roulions vers le nord, j'avais l'impression de tout reconnaître, les vieilles maisons... Je me mis à décrire ce que nous allions voir à l'avance.

Nous avons roulé encore environ cinq kilomètres, puis j'ai dit à mon amie que derrière le virage, nous arriverions à une bourgade qui se trouvait tout près de la route nationale. Je lui ai déclaré que les maisons auraient une charpente blanche, un étage et qu'elles seraient construites assez près les unes des autres. J'ai ajouté que j'avais la sensation d'avoir vécu à cet endroit lorsque j'avais environ six ans, époque à laquelle je m'asseyais avec ma «Mamie» sous le porche. J'étais submergée de souvenirs : je me rappelais m'être assise sur la balançoire sous le porche pendant que ma Mamie boutonnait mes bottines, car je ne savais pas le faire toute seule. Lorsque nous sommes arrivées dans la ville, je reconnus la maison immédiatement, bien qu'il n'y ait pas de balançoire sous le porche... Et pourtant, à l'époque où je vivais là avec ma Mamie, dis-je à mon amie, je me souvenais m'être assise à cet endroit. Je me souvenais aussi que ma Mamie descendait deux pâtés de maisons avec moi pour aller à une boutique qui avait un haut comptoir de marbre, de couleur blanche, que nous y achetions de la limonade et que j'aimais ça. Tandis que nous roulions dans cette petite rue, je montrai à Joanne où se trouvait la boutique autrefois. Celle-ci était toujours là, ou plutôt, le bâ-timent y était toujours, qui n'avait pas tellement changé, mais les fenêtres étaient toutes bouchées, si bien que nous n'avons rien pu voir de l'intérieur. »

Ce qui aurait pu être un dénouement théâtral fut quelque peu gâché par son amie, dont la sensation de malaise envers ce qui se passait allait croissant. Néanmoins, ce récit s'achève de façon étrange :

« Tandis que nous étions là, je «savais» que j'étais morte lorsque j'avais environ six ou sept ans. J'essayai de convaincre Joanne de me laisser la guider jusqu'au cimetière où «j'étais» enterrée, mais elle était tellement effrayée qu'elle refusa d'y aller. Comme nous quittions la ville, je lui ai dit : «Dans environ trois pâtés de maisons, il y a une petite colli-

ne aux pentes douées, c'est là que se trouve le cimetière, et c'est là qu'ils m'ont enterrée. C'était vrai : le cimetière était bien là, comme je l'avais décrit. Nous avons repris la route. Mais je sais que jadis, vers 1900, je vivais là, et que c'est là que je suis morte. »

Ce qu'il y a de vraiment impressionnant dans ce récit, c'est qu'il est véridique : le témoin possédait des informations dont il était impossible qu'elle se souvienne. Apparemment, ce type de récit n'est pas rare, bien qu'aucun parapsychologue n'ait jamais pris la peine d'étudier cet ensemble de preuves de la réincarnation. Les recherches dans le domaine des souvenirs spontanés de vies antérieures n'attira l'attention du grand public qu'en 1979, lorsque le docteur Frederick Lenz, psychologue de l'université de San Diego, publia Lifetimes, ouvrage dans lequel il fait figurer et analyse un grand nombre de cas similaires.

II en a recueilli plus d'une centaine et a découvert que ce phénomène tend à se produire dans les rêves, pendant la méditation, en tant que visions à l'état de veille ou par le truchement des sensations de «déjà-vu». Les visions à l'état de veille sont les plus caractéristiques : la personne qui les vit se sent transportée dans son passé. Lenz a également constaté que certains de ces cas sont véridiques. Celui qui suit est significatif; il lui fut rapporté par une jeune femme de San Diego, adolescente à l'époque des faits :

« Ç'a s'est produit alors que je venais d'avoir 17 ans. J'étais à la maison, à garder ma petite sœur. Mes parents étaient sortis pour fêter leur anniversaire de mariage. Je préparais le dîner à la cuisine lorsque j'ai entendu un son de cloche très fort dans ma tête.
Il est devenu de plus en plus fort et j'ai pris peur. Ce son ne venait pas de l'extérieur, mais de l'intérieur. La pièce a commencé à bouger et à disparaître, et j'ai cru que j'allais m'éva-

nouir. Ce dont je me souviens ensuite c'est que j'étais au bord d'une falaise et que je regardais la mer. Je regardais les rouleaux qui se brisaient sur les rochers tout en bas. J'entendais le choc du ressac et humais l'air salé. J'ai fait demi-tour et j'ai commencé à traverser un champ qui était derrière moi. Il y avait du soleil, c'était bon, je me sentais bien. Je retournais vers mon troupeau de moutons que j'avais laissé dans le pâturage. Tandis que je marchais, je chantais une de mes chansons préférées, jusqu'à ce que j'atteigne le sommet d'une colline. Je pensais à toutes les villes grecques que j'aimerais visiter un jour. Je me suis assise près des moutons et me suis balancée en chantant. Puis la vision s'est arrêtée et je me suis retrouvée dans la cuisine.

Je ne savais pas quoi penser de ce qui m'était arrivé, et je pensais que j'avais eu une sorte de rêve éveillé très vivace. Cependant, plusieurs années plus tard, alors que mes cours à l'université étaient finis, je suis partie en vacances en Europe; la Grèce faisait partie de mes destinations. Certaines des petites cités de la côte m'attiraient beaucoup. Un jour, alors que je roulais avec des amis, nous sommes arrivés sur une portion de route qui surplombait la mer. J'étais emplie de plusieurs émotions contradictoires, mais une chose était claire : je voulais sortir de la voiture. J'ai demandé à mes amis de s'arrêter quelques minutes; ils ont rangé la voiture sur le bord de la route surplombant la mer et nous avons regardé vers le bas. À ce même moment, j'ai vu exactement la même scène que j'avais perçue plusieurs années auparavant dans ma vision. J'ai fait demi-tour et je me suis éloignée de la voiture et de mes amis. Je savais où j'allais, comme si je connaissais le chemin. J'ai suivi un sentier à travers un champ et j'ai commencé à grimper un talus. Lorsque j'ai atteint le sommet et que j'ai re-gardé autour, j'ai reconnu l'endroit où j'étais avec les moutons dans ma vision. C'était exactement ce dont je me souvenais.

J'étais emplie de souvenirs d'endroits et de scènes, et j'ai su que j'étais revenue «chez moi». Même si ça ne voulait rien

dire, j'avais l'impression d'avoir vécu là à une autre époque. J'ai rejoint mes amis dans la voiture et j'ai tenté de leur expliquer mes sensations.
Ils n'ont pas paru comprendre ce dont je parlais, si bien que j'ai fini par abandonner. »

Lenz ne s'est pas cantonné à rassembler de tels récits. Il les a également analysés en détail, si bien qu'il pense que ses recherches lui ont permis de découvrir un schéma auquel ces cas se conforment. En effet, il suggère que les gens qui sont sur le point de se souvenir de leur vie passée subissent un «syndrome phénoménologique» qui culmine par le surgissement des souvenirs de la vie antérieure. En premier lieu, le sujet a tendance à sentir que son corps devient plus léger et des couleurs vives se mettent à danser devant ses yeux. Une sensation d'euphorie et parfois même d'extase le submerge et la pièce se met à vibrer. Le retour dans le passé se produit généralement à ce moment, si bien que le sujet se trouve transporté dans une scène de sa vie antérieure. Cette scène ne dure que quelques instants avant de disparaître, puis le sujet se retrouve au XXe siècle, avec peut-être la sensation qu'il sort d'une transe. Le docteur Lenz ne prétend pas que cette phénoménologie graduelle accompagne tous les cas de souvenirs d'une vie antérieure, mais que des aspects de ce syndrome tendent à se présenter conjointement à la plupart de ces événements.

Lenz avait-il isolé un syndrome de la réincarnation spécifique, semblable à ce que Moody avait réalisé pour la mort temporaire? Si «l'effet Lenz» faisait réellement partie de l'expérience de la réincarnation, il devrait être aisé de reproduire ses résultats. Je décidai donc de procéder à cette duplication. Je commençai par écrire à deux grands magazines qui publient des articles sur le paranormal pour demander aux lecteurs de m'envoyer des détails relatifs à toute expérience de cet ordre qu'ils auraient pu vivre. À partir des réponses, je parvins à sélectionner une vingtaine de cas sérieux de souvenirs spontanés de vie antérieure. La plupart de mes correspondants me firent parvenir des cas de rêves et de visions en état de veille. Je reçus également quelques récits de «déjà-vu».

Les résultats de mes recherches furent complexes. En effet, je parvins à recueillir de nombreux cas qui recoupaient les conclusions de Lenz, en particulier les récits de «visions en état de veille». Au moins cinq d'entre eux contenaient des preuves attestées, c'est-à-dire des informations communiquées dans le rêve ou la vision qui se vérifiaient par la suite. Une correspondante avait rêvé qu'elle était morte aux mains des envahisseurs vikings, pour découvrir plus tard que les chefs nordiques portaient exactement le même type de bague qu'elle avait vue au doigt de son «mari» avant qu'il soit tué lui aussi. Un homme eut des sensations de déjà-vu extrêmement puissantes tandis qu'il lisait un ouvrage sur la carrière du général Custer : il vérifia par la suite dans d'autres ouvrages nombre des «faits» qui lui étaient venus à l'esprit intuitivement.

Cependant, je ne rencontrai pas de cas qui se conformait à «l'effet Lenz». Il se peut que mon échantillonnage ait été trop limité pour révéler ce schéma ou bien que Lenz ait recueilli ses données de telle manière qu'il influença ses témoins et les amena à adapter leurs récits au schéma qu'il sentait se profiler. Quoi qu'il en soit, il est nécessaire d'entreprendre des recherches plus systématiques pour résoudre ce problème. En dépit des questions que mes recherches laissèrent sans réponse, je fus suffisamment impressionné par la qualité des cas que j'avais recueillis pour remettre en cause mes conceptions de la réincarnation. Malheureusement, le problème que soulèvent ces récits est que ceux-ci contiennent rarement des informations vérifiables. Il s'agit de phénomènes brefs et éphémères, de sorte que le sceptique pourrait les rejeter comme étant des hallucinations ou des illusions.

Il ne fait pas de doute que les travaux du docteur Lenz et ma propre tentative pour les reproduire ne doivent être envisagés que dans le contexte plus large des recherches en cours sur la question de la réincarnation.

La mémoire extracérébrale

L'ensemble le plus considérable de faits tendant à prouver la doctrine de la réincarnation a été recueilli par le docteur lan Stevenson, psychiatre et parapsychologue de l'université de Virginie, qui rassemble des cas de «mémoire extracérébrale» depuis les années 60. Il s'agit là d'un terme à la mode désignant les cas où un individu, un enfant le plus souvent, semble se souvenir d'une vie antérieure, allant jusqu'à en parler très précisément, même s'il s'agit de cultures étrangères et de périodes historiques très différentes. À ce jour, ce chercheur a publié pas moins de quatre ouvrages analysant les cas qu'il a personnellement étudiés. Les faits que Stevenson a recueillis se classent approximativement en deux catégories. Viennent tout d'abord les cas pour lesquels l'enfant se souvient simplement d'une vie antérieure, de même que de quelques détails fragmentaires. Dans la seconde catégorie, on trouve des cas d'enfants qui ont apparemment hérité de traits de caractère et de caractéristiques physiques de leur incarnation précédente. Ainsi, ces enfants seront le plus souvent nés avec des difformités ou des angiomes qui correspondent à ceux de leur incarnation initiale.

Le cas d'un jeune Cinghalais, Indika Guneratne, illustre parfaitement la première de ces deux catégories. Stevenson commença son étude de cas en 1968, pour publier ses conclusions en 1974 dans le Bulletin de la Société américaine pour la recherche métapsychique.

Né en 1962, Indika ne commença à parler qu'à l'âge de deux ans.

Un an ou deux plus tard, il se mit à décrire une vie antérieure de riche résidant de Matara, ville de la côte sud de l'île. Il se souvenait ainsi de la belle demeure qu'il possédait, de sa Mercedes-Benz, de même que de ses propriétés et de ses éléphants préférés. Son père, G. D. Guneratne, examina les affirmations de son fils : il découvrit qu'un riche personnage qui correspondait à ses descriptions avait bien vécu à Matara, mais ses recherches en restèrent là. C'est Stevenson qui les reprit lorsqu'il se rendit en Inde et à Ceyian pour des enquêtes sur le terrain. Il parvint à justifier un grand nombre des affirmations d'Indika, qui avaient été soigneusement notées par son père. Elles paraissaient désigner un riche négociant en bois, un certain K. G. J. Weerasinghe, qui vivait à Matara et y était mort en 1960. Indika prétendait qu'il avait été riche, que sa maison se trouvait près d'une gare, qu'il avait eu un serviteur du nom de Premadasa, qu'il possédait plusieurs éléphants et qu'il avait eu une grave altercation avec son beau-frère.

Grâce à plusieurs enquêtes réalisées à Matara, Stevenson fournit des preuves à l'appui de la plupart des affirmations d'Indika. Cependant, il y avait également quelques erreurs qu'il ne fallait pas négliger. Weerasinghe n'avait eu en sa possession qu'un éléphant, et non plusieurs, pas plus qu'il ne roulait en Mercedes. Bizarrement, le garçon pouvait pourtant se souvenir du numéro d'immatriculation. Après avoir vérifié, Stevenson découvrit que ce numéro avait bien été attribué à une Mercedes, mais qu'il s'agissait de la voiture d'une personne qui résidait dans une ville des environs! Mais compte tenu du fait que la mémoire humaine est faillible et capricieuse, les quelques imprécisions entachant les souvenirs d'Indika ne portent pas fondamentalement atteinte à la véracité de son récit. En dépit de ces erreurs, ses souvenirs étaient en effet précis à 90% quant il s'agissait de la vie et de la mort de Weerasinghe. Son information la plus impressionnante concernait le nom de son ancien serviteur, Premadasa, qui avait été le chauffeur du négociant.

Néanmoins, ce sont les cas dans lesquels un enfant naît avec une difformité ou une marque paraissant liées à sa vie antérieure qui sont les plus convaincants. Parmi ceux que Stevenson a répertoriés, le plus fascinant est sans doute celui de Corliss Chotkin Jr., un Amérindien né en Alaska en 1948. Celui-ci se souvenait comme d'un parent éloigné de Victor Vincent, décédé en 1946. De son vivant, Vincent acceptait la réincarnation comme une évidence, puisqu'il s'agit d'une croyance très répandue dans sa tribu, les Tlinget. De fait, peu de temps avant sa mort, il déclara à sa nièce que s'il venait à disparaître bientôt, il se réincarnerait volontairement en tant que son fils. Corliss

Chotkin Jr. naquit juste 18 mois après la mort de Vincent. Et si nous jugeons ce cas sur les apparences, la prédiction de Vincent se vérifia, car l'enfant naquit avec deux taches de naissance inhabituelles : l'une, d'assez grande taille, se trouvait sous l'œil droit, tandis que l'autre était située sur son dos. Or, ces deux taches étaient exactement aux endroits où Vincent avait été marqué par des cicatrices consécutives à des opérations! Corliss semblait également se souvenir de sa vie antérieure en tant que Victor Vincent. Ainsi, à 13 mois, il se désigna du nom tribal de Vincent, et demanda même à ses parents s'ils se souvenaient de sa «promesse». De plus, il fournit à ses parents stupéfaits une longue liste des détails de cette autre existence, dont un bon nombre étaient inconnus des Chotkin jusqu'à ce qu'ils entreprennent de vérifier les affirmations de leur fils.

En une occasion, par exemple, Corliss déclara à ses parents qu'en tant que Vincent, il était tombé en panne de carburant alors qu'il faisait du bateau. Pour attirer l'attention sur lui, il avait revêtu un uniforme de l'Armée du Salut et avait réussi à arrêter un vapeur qui passait par là. Ses parents durent examiner par le menu la vie de Vincent pour vérifier cette anecdote. Corliss commença également à acquérir des traits de caractère ainsi que des caractéristiques physiques apparemment héritées de Vincent. Ainsi, il contracta le goût du bricolage sur les moteurs et se mit à marcher du même pas traînant que le vieil homme.

Toutefois, le type le plus solide de preuves de la réincarnation se manifeste dans les cas où un enfant naît avec une aptitude qui semble provenir d'une vie antérieure. Les langues en font partie : en effet, il n'est possible d'apprendre une langue qu'en étant baigné dans un environnement linguistique, par la pratique et la répétition. Cet apprentissage peut être comparé à celui de la bicyclette ou de la natation : cela n'est ni inné, ni même facile, car c'est en tâtonnant qu'on apprend. Et pourtant, il existe des cas de jeunes enfants qui, tout en se remémorant leur vie antérieure, semblent maîtriser des langues étrangères avec lesquelles ils n'ont jamais été mis en contact.

Un de ces cas fut récemment découvert au Brésil par Hernani Andrade, l'un des chefs de file de la parapsychologie en Amérique du Sud. Viviane Silvino est née à Sao Paolo en 1963. Bien qu'on parle portugais au Brésil, la fillette stupéfia bientôt parents et grands-parents en se mettant à agrémenter sa conversation de bribes d'italien. En effet, avant même d'avoir deux ans, elle appelait sa sœur mia sorella et sa poupée bambola, ces deux expressions étant correctement employées.

Un jour que sa mère expliquait à sa lingère qu'elle ne connaissait personne qui parlait italien, Viviane s'exclama «lo parlo», qui veut dire «Moi, je le parle». Elle commença même à utiliser correctement, dans sa conversation de tous les jours, des mots et des expressions italiens assez complexes. Comme Guy Lyon Playfair, journaliste d'origine anglaise qui étudia ce cas à partir des archives d'Andrade, l'écrit dans son livre The Unknown Power (Le Pouvoir inconnu) :

« Un jour, Viviane mit des chaussures de sa mère et commença à parcourir la maison en claquant des pieds. Lorsque sa grand-mère lui dit de se tenir tranquille, elle répondit : «Ne me dérange pas, je fais une pestadura. *» Ce mot ne signifie rien en portugais, mais en italien veut littéralement dire «pied dur» ou «marcher d'un pas lourd», ce qu'elle était bien en train de faire. Une autre fois, alors qu'elle regardait sa sœur cadette dans son berceau, Viviane déclara qu'elle était* losca, *ou qu'elle louchait, ce qui se dit* vesgo *en portugais. »*

Ce ne fut qu'après avoir incorporé des mots italiens dans son vocabulaire que Viviane commença vraiment à se remémorer sa vie antérieure. Jusqu'alors, la seule indication que la fillette était harcelée par des souvenirs de cette autre existence se manifestait par sa peur inexplicable des avions. Or, l'enfant finit par se souvenir d'une vie à Rome, fournit le nom de plusieurs de ses amis de cette époque, conta des événements de leur vie et se rappela de raids aériens sur la ville. Tout ceci indiquait qu'elle avait vécu pendant la Seconde Guerre mondiale, ce qui expliquait sa peur.

Malheureusement, les tentatives effectuées pour retrouver la trace de la vie passée de Viviane en Italie sont demeurées infructueuses. Ceci n'a toutefois rien de très surprenant, dans la mesure où de nombreuses archives furent détruites dans la tourmente de la guerre. Mais en tout état de cause, les sceptiques ne peuvent aisément rejeter les éléments de preuve que représente la curieuse maîtrise de la langue italienne manifestée par Viviane.

Bien des gens croient que ces «cas de type réincarnation», selon l'expression de Stevenson, représentent la preuve sans équivoque de la théorie de la renaissance. Cela serait peut-être justifié si tous les cas de mémoire extracérébrale étaient aussi clairs et nets que les trois que nous venons d'évoquer. Or, tel n'est pas le cas. Des compléments de recherche entrepris par le docteur Stevenson au cours de ces dernières années laissent à penser que la question est bien plus complexe qu'il n'apparaît à première vue. En effet, bien des cas de mémoire extracérébrale sont rendus extrêmement complexes par un si grand nombre d'irrégularités et de paradoxes que la «simple» réincarnation n'est pas à même d'en rendre compte.

Des cas inexpliqués

Le cas de Saïd Bouhamsy, que lan Stevenson étudia également en profondeur, en est un exemple tout à fait typique. Bouhamsy était un Druze (membre d'une secte musulmane qui enseigne la réincarnation) qui mourut dans un accident de la route au Liban en 1943. Six mois plus tard, sa sœur donnait naissance à un fils. Lorsque le garçon apprit à parler, les noms des enfants de Bouhamsy furent pratiquement les premiers mots qu'il prononça. Il décrivit également l'accident de camion qui avait mis un terme à sa vie précédente et qui créa chez lui une phobie de ces véhicules.

Il s'agissait donc d'un cas splendide de souvenirs d'une vie antérieure, mais un problème surgit. En effet, dans une ville située à une quarantaine de kilomètres de là, naquit en 1958 un garçon nommé Imad Elawar. Quand il eut deux ans, Imad se souvint lui aussi d'une vie antérieure apparemment en tant que Saïd Bouhamsy! Il se rappela l'accident de camion, le nombre d'enfants qu'il avait, etc. De plus, il était également sujet à une peur morbide des camions. Enfin, il parla d'une ancienne maîtresse, Jumille, que Stevenson parvint à identifier comme étant l'amante non pas de Bouhamsy, mais de son cousin. Ainsi, nous sommes en présence d'un récit dans lequel deux enfants se souviennent de la même vie antérieure : il paraît donc évident que ce type de cas ne peut être expliqué comme une «simple» réincarnation.

Par ailleurs, nous sommes confrontés à l'histoire déconcertante de Jasbir Lai Jat, un Indien de trois ans et demi qui, après avoir réchappé de justesse à la variole en 1954, se mit spontanément à parler d'une vie antérieure en tant que Sibha Ram, qui avait vécu dans un village des environs. Il déclara que son père s'appelait Shanka, qu'il était mort après avoir mangé des sucreries empoisonnées pendant un défilé de mariage (ce qui l'avait fait tomber d'un chariot), et relata nombre d'événements véridiques de la vie de Ram. Lorsqu'on l'emmena de son village dans l'Uttar Pradesh à la bourgade voisine de Vehedi, où Ram avait résidé, l'enfant reconnut sans se tromper plusieurs des anciens membres de sa famille et leur parla de sa vie passée avec force détails. Tous ces faits furent vérifiés par lan Stevenson pendant un voyage d'étude effectué en Inde en 1961.

Une fois de plus, nous avons là un superbe cas de réincarnation, sauf qu'un élément incite à la prudence : en fait, Sibha Ram ne mourut pas avant la naissance de Jasbir, mais uniquement quand ce dernier avait trois ans. Comment est-il possible de rendre compte de ce récit insolite? S'agit-il d'un cas d'authentique réincarnation? De possession? De transmigration de l'âme? Jasbir est-il vraiment mort pendant sa variole, son corps ayant alors été réanimé par l'esprit de Sibha Ram? À tout le moins, de tels récits nous font réaliser que ces exemples de mémoire extracérébrale ne sont en aucun cas des preuves formelles de la réincarnation. Les données qu'on peut extraire de ce type de cas ne sont pas assez nettes, remplies qu'elles sont de paradoxes qu'il est impossible de passer sous silence.

En outre, un autre problème se pose, que peu des chercheurs se consacrant à la réincarnation prennent la peine d'étudier. Il a pourtant une influence primordiale sur toute interprétation qu'on souhaite donner des cas de mémoire extracérébrale. En effet, les enfants évoquent des vies antérieures bien plus fréquemment dans les pays dont les habitants adhèrent à la doctrine de la réincarnation. Ce phénomène est peut-être similaire à la façon qu'ont les enfants dans notre culture de produire des «compagnons de jeu imaginaires». Dans la plupart des cas, ces souvenirs sont des histoires fabriquées de toutes pièces qui ne résistent pas à une enquête approfondie. Il en ressort qu'il est fort possible que ce phénomène de «souvenirs de la vie antérieure» soit intrinsèquement psychologique. Toute théorie de la réincarnation doit pouvoir expliquer la raison pour laquelle certaines manifestations peuvent être prouvées alors que ce n'est pas le cas pour d'autres. Certains chercheurs, dont lan Stevenson, ne se sont préoccupés que des cas vérifiables, donnant par là même au public une image partielle de cette énigme aux multiples facettes.

Le professeur C. T. K. Chari, parapsychologue au Christian Collège de Madras en Inde, affirme que tous les cas de souvenirs de vie antérieure ont un fondement psychologique. D'après lui, ils seraient provoqués par le contact qu'a l'enfant avec la doctrine de la réincarnation. Il est tout à fait envisageable qu'en de rares occasions, un enfant doué de perception extrasensorielle puisse, au moyen de son pouvoir de seconde vue et de façon inconsciente, se procurer des informations authentiques sur un individu récemment décédé et être simultanément sujet à un fantasme de renaissance.

Cette théorie générale est ingénieuse et peut fort bien expliquer pourquoi certains cas de mémoire extracérébrale sont susceptibles d'être prouvés quand d'autres ne le sont pas. En outre, elle permet de rendre compte de «curiosités» telles que les cas de Jasbir et de Saïd Bouhamsy. Malheureusement, la théorie du professeur Chari ne peut expliquer pourquoi certains enfants naissent avec des marques que possédaient leur incarnation précédente, ni pourquoi un jeune enfant peut parler une langue avec laquelle il n'a jamais été mis en contact. La perception extrasensorielle n'est pas capable d'une telle prouesse, nous le savons bien.

Ainsi, la question de savoir si les cas de souvenirs de vie antérieure peuvent servir à prouver la réincarnation est pour le moment dans une impasse. Les chercheurs qui croient en la réincarnation ne peuvent expliquer les anomalies de leurs données, alors que les sceptiques ne peuvent écarter les aspects factuels du mystère de la renaissance. Dès lors, il est fort probable que nous n'ayons pas tant besoin de recherches plus poussées que d'une autre méthode pour envisager cette problématique. Il pourrait s'agir d'une façon d'explorer délibérément et systématiquement la vie antérieure d'une personne, à sup-poser qu'elle en ait eu une. Se pourrait-il que l'hypnose nous fournisse cette nouvelle méthode?

L'argument de la rétrogression hypnotique

L'utilisation de l'hypnose pour permettre à un sujet d'effectuer un «retour en arrière» vers une vie antérieure n'est pas une idée neuve. En fait, il est pratiquement impossible de déterminer qui est à l'origines de ce procédé. Nous savons qu'un certain nombre de parapsychologues français de la fin du siècle dernier avaient expérimenté cette technique, mais que leurs résultats n'avaient pas été vraiment satisfaisants.

Le premier cas moderne de souvenir spontané d'une vie antérieure réalisé sous hypnose est peut-être celui qui fut rapporté au début du XXe siècle par William McDougall, psychologue de l'université de Harvard. Ce dernier ne s'intéressait pas le moins du monde à la réincarnation : c'était un expert en hypnose, qui trouva par hasard les faits dont il est question en menant des recherches sur l'état hypnotique à l'université d'Oxford.

Au cours d'une expérience avec un sujet hypnotisé particulièrement doué, il entendit soudainement le jeune homme «annoncer» qu'il était un charpentier égyptien et dire qu'on lui avait confié le tombeau d'un pharaon. Il décrivit de façon détaillée les images qu'il était en train de créer : il y avait un aigle, une main accompagnée d'un insigne en forme de zig-zag, un dieu avec une couronne blanche, ainsi qu'une image représentant les mondes «inférieur et supérieur».

Rien de tout cela ne parut avoir beaucoup de sens pour McDougall jusqu'à ce que, neuf mois plus tard, Sir Flinders Pétrie, archéologue anglais qui travaillait dans le cadre de la Société d'explorations égyptiennes, annonce qu'il venait d'achever l'excavation du cénotaphe d'un roi peu connu de la Première Dynastie. Or, tous les symboles décrits par le sujet de McDougall furent retrouvés sur ce cénotaphe. En vérifiant les dates, le psychologue constata également que la séance d'hypnose avait eu lieu à peu près à la même époque que les premières découvertes de Pétrie.

Un autre éminent psychologue anglais, Sir Cyril Burt, assistait à l'expérience de McDougall. Par la suite, il écrivit : «L'étudiant lui-même affirme qu'il ne sait rien de l'ancienne Egypte en dehors de ce qui figure dans la Bible.» En outre, du fait de sa cécité, le jeune homme avait très peu lu, et n'avait donc pris connaissance d'aucun ouvrage sur cette civilisation antique.

McDougall ne parvint jamais à résoudre le mystère des souvenirs égyptiens de son sujet. Sa conclusion était que le jeune homme avait capté par télépathie l'esprit de Pétrie ou bien qu'il avait inconsciemment reconstitué l'histoire à partir de fragments d'informations acquis au fil des ans sur les symboles égyptiens (symboles qu'il aurait ensuite consciemment oubliés).

C'est bien là que réside tout le problème lorsqu'on tente de déterminer l'authenticité de souvenirs d'une vie antérieure. Il semble tout à fait probable que des individus sous hypnose puissent faire des récits précis et convaincants des vies antérieures qu'ils prétendent avoir vécues à des époques et en des endroits éloignés. Mais s'agit-il là de souvenirs authentiques? Ou bien de petits fantasmes que l'inconscient peut créer à volonté en imbriquant des connaissances acquises au préalable, hors d'atteinte de la mémoire consciente puisque enfouies dans les recoins de l'esprit? Ce phénomène porte le nom savant de «cryptomnésie», qui signifie «mémoire cachée».

Les parapsychologues ont également découvert que les individus hypnotisés sont particulièrement sujets à la perception extrasensorielle. Par conséquent, il est aussi possible que des sujets qui seraient «retournés en arrière» par le biais de l'hypnose aient pu recourir inconsciemment à la télépathie et à la seconde vue pour produire des informations authentiques accompagnant un fantasme de vie antérieure.

Le mystère Bridey Murphy

Ces questions furent étudiées pour la première fois en profondeur en 1956 lorsque de nombreux parapsychologues se demandèrent ouvertement si l'hypnose pouvait véritablement contribuer à la recherche sur la réincarnation. Cette année-là, Morey Bernstein, un homme d'affaires originaire du Colorado qui pratiquait l'hypnose en amateur fit sensation en publiant The Search for Bridey Murphy (A la recherche de Bridey Murphy). Cet ouvrage décrivait comment une simple ménagère du même État, Virginia Tighe (désignée sous le pseudonyme Ruth Simmons dans le livre), s'était souvenue d'une vie en tant que Bridey Murphy dans l'Irlande du XIXe siècle, au cours de plusieurs séances de régression hypnotique. Elle s'était rappelée les noms de plusieurs membres de sa famille et de lieux historiques, s'ex-primant même avec un accent irlandais.

Dès que ce cas parut dans la presse, des tentatives furent effectuées pour retracer la vie de Bridey en Irlande. Les résultats de ces recherches furent publiés dans les revues Life et American, tandis que toute une série de rapports intitulés «À la recherche de Bridey Murphy« paraissaient dans les publications du groupe du magnat de la presse Hearst.

On retrouva un certain nombre de personnes et d'endroits mentionnés par Mme Tighe pendant ses transes, mais d'autres parties de son récit paraissaient être des mises en scène d'expériences de son enfance ou de souvenirs enfouis dans sa mémoire. Le nom même que Bridey affirma être celui de son mari, Sean Brien MacCarthy, ressemble par trop à une anagramme de Morey Bernstein!

Le mystère Bridey Murphy reste entier. Cependant, cette affaire contribua à prévenir les chercheurs potentiels des difficultés inhérentes à la vérification de ce type de souvenirs obtenus sous hypnose.
Voilà pourquoi si peu d'études relatives à l'exploration hypnotique de la réincarnation ont été publiées depuis 1956. lan Stevenson lui-même, qui fait autorité dans ce domaine, n'a pas hésité à dénigrer l'utilisation de l'hypnose en tant qu'outil pour ces recherches.

Cette tendance a toutefois commencé à se renverser au cours de ces dernières années : en effet, un petit nombre de chercheurs se sont remis à recourir à l'hypnose en tant que méthode d'investigation de la réincarnation. Ainsi, certaines de ces recherches ont mis au jour des faits plutôt dérangeants... du moins pour les sceptiques!

L'un de ces chercheurs, Arnold Bloxham, était un hypnothérapeute anglais qui s'intéressa toute sa vie à la réincarnation. Il entreprit ses recherches dans ce domaine vers 1940 et les poursuivit jusqu'à sa mort. La BBC finit par s'intéresser à ses travaux, auxquels elle consacra un documentaire qui amena le réalisateur Jeffrey Iverson à vérifier très soigneusement les souvenirs de plusieurs de ses sujets.

Bloxham avait travaillé avec un sujet exceptionnel, Jane Evans, au cours de plusieurs séances : l'une se déroulait dans le York du IIIe siècle; la seconde se situait dans cette même ville au XIIe siècle, alors que Jane était juive; la troisième fois, Jane se retrouvait dans la France du XVe siècle; lors de la séance subséquente, elle était servante de Catherine d'Aragon au XVIe siècle; la fois suivante, elle était toujours la servante, mais cette fois dans l'Angleterre de la reine Anne; enfin, au cours de la dernière séance, elle était nonne dans un couvent du Maryland.

À l'origine, Mme Evans n'était pas venue voir Bloxham à ce sujet, mais pour qu'il soulage ses rhumatismes grâce à l'hypnose : elle était venue chez l'hypnothérapeute en tant que patiente et non comme sujet d'expérience. Néanmoins, Bloxham sentit rapidement que cette nouvelle patiente pourrait être un excellent sujet hypnotique, si bien qu'il entreprit plusieurs mois de travail de rétrogression avec elle.

Le souvenir le plus impressionnant que Jane eut d'une vie antérieure fut celui où elle était juive au XIIe siècle. Pendant sa rétrogression, elle décrivit la situation politique de l'époque, qui devait conduire au massacre de la communauté juive de York en 1190, et l'obligation pour les juifs de porter un insigne qui les identifiait. Historiquement, les faits décrits étaient exacts, c'est-à-dire qu'ils correspondaient à ce que les historiens savaient de cette sombre époque de l'histoire d'Angleterre. Par exemple, les autorités de l'Église à Rome annoncèrent en 1215 que tous les juifs en pays chrétiens devaient porter un insigne, mais cette pratique s'était répandue bien avant le début du XIIIe siècle. Jane se souvint également de plusieurs coutumes juives, ainsi que de pogromes en Angleterre et ce, avec force détails, dont des renseignements relativement abscons sur les traditions des prêteurs de l'époque. À ce sujet, elle précisa même les rapports étroits existant entre les financiers de York et ceux de Lincoln, ce qui concorde parfaitement avec les faits historiques.

Il ne faudrait pas croire que tout un chacun connaissait les renseignements que fournissait Mme Evans sous hypnose : la plus grande partie dut être vérifiée en consultant le professeur Barrie Dobson, expert en histoire juive de l'université de York.

Le moment culminant du récit de Jane fut sa reconstitution hypnotique, avec des détails poignants, du grand massacre des juifs de 1190, date à laquelle l'antisémitisme de la population de York devint si haineux qu'un carnage généralisé fut perpétré. Des bandes de maraudeurs pénétrèrent de force dans les demeures des juifs, assassinant leurs occupants et dérobant leurs biens. En fin de compte, la majeure partie de la population juive de York fut anéantie. Mme Evans alla jusqu'à décrire comment les juifs finirent par tuer leurs enfants de leurs propres mains plutôt que de les laisser tomber entre celles des habitants de York. Elle conclut en racontant comment elle et ses enfants avaient cherché refuge dans une église, dans la crypte de laquelle ils s'étaient cachés; c'est là qu'on les trouva et qu'on les mit à mort.

Le professeur Dobson, à qui il fut permis d'entendre les enregistrements des rétrogressions de Jane, déclara plus tard à Jeffrey Iverson que sa maîtrise des faits historiques était «d'une précision impressionnante» et qu'il était probable qu'une grande partie de ces informations n'étaient connues que des historiens de profession. Il réussit également à identifier l'église où Jane s'était cachée avec sa famille : grâce à plusieurs indications dans son récit, il reconnut St. Mary's Church in Castlegate, église qui existe toujours aujourd'hui.

Pourtant, le récit de Jane comportait un défaut : cette église ne possède pas de crypte, ou du moins c'est qu'on croyait à l'époque des expériences de Bloxham. De fait, la plupart des églises anglaises du XIIe siècle n'en comportaient pas. Cependant, une découverte capitale se produisit six mois après que le professeur Dobson eut analysé les enregistrements : des ouvriers qui rénovaient St. Mary's découvrirent accidentellement que l'église recelait bien une crypte et qu'apparemment, elle avait été construite avant 1190!

Il est également intéressant de noter que Jane semble se souvenir de détails relativement obscurs à propos du massacre, alors qu'elle n'a fait aucune mention des faits les mieux connus (et donc ceux auxquels elle aurait pu avoir accès grâce aux livres d'histoire) de cette flétrissure de l'histoire d'Angleterre.

Malheureusement, tous les cas de souvenirs de vie antérieure suscités par hypnose ne supportent pas aussi bien un examen rigoureux. Même le cas de Jane Evans n'est pas absolument parfait. En effet, Bloxham réussit à lui faire revivre ses souvenirs d'une autre vie, à l'époque romaine, cette fois, mais les renseignements qu'elle fournit à cette occasion furent retrouvés par la suite dans un roman qu'elle avait lu! En outre, dans son ouvrage The Unexplained (L'Inexpliqué), Melvin Harris soutient que tous les souvenirs de Mme Evans peuvent être attribués à la cryptomnésie, une conclusion que Dobson et Iverson ont acceptée. Mais il existe une autre série de preuves à l'appui de la doctrine de la réincarnation, qui ont été récemment obtenues par le biais de l'hypnose et qui pourraient se révéler encore plus importantes.

La xénoglossie et les preuves de la réincarnation

Une façon très différente d'envisager la réincarnation par le truchement de l'hypnose consiste à s'assurer qu'un sujet en rétrogression connaît une langue étrangère qu'il n'a jamais apprise, mais qu'il peut utiliser pendant ses souvenirs d'une vie antérieure. Il s'agit là d'un phénomène que quelques individus ont expérimenté en se remémorant spontanément des incarnations antérieures. Désigné par le nom technique de «xénoglossie», ce phénomène semble être plutôt rare pendant les rétrogressions hypnotiques, mais deux cas récents méritent d'être examinés en détail.

Le premier d'entre eux est celui, bien connu, de Delores Jay, cette mère de famille de Virginie dont le récit fut reproduit dans pratiquement tous les journaux des États-Unis. Cette affaire fut étudiée de très près par le docteur lan Stevenson, qui fut tellement impressionné qu'il lui consacra un rapport paru dans le Bulletin de la Société américaine pour la recherche métapsychique en 1976. Le révérend Carroll Jay, le mari de Delores, écrivit un livre intitulé Gretchen, IAm et précisant les détails de l'enquête.

L'étrange «affaire Delores Jay» commença en 1970 alors que le révérend Jay, hypnothérapeute expérimenté, soignait son épouse pour des douleurs dans le dos. Un soir, après s'être endormie, elle murmura soudainement : «Gretchen, ich bin», qui signifie «Gretchen, je suis» en allemand. Le révérend fut étonné, car sa femme n'avait jamais appris cette langue et ne pouvait donc pas la parler. Il décida d'effectuer des séances d'hypnose avec Delores, qui devenait immanquablement «Gretchen Gottlieb» lorsqu'elle était en transe. Gretchen finit par faire un récit fascinant de sa vie dans l'Allemagne du XIXe siècle. Elle parlait uniquement la langue de Goethe et expliqua qu'elle avait été assassinée dans une forêt alors qu'elle n'avait que 16 ans. Ses messages étaient généralement composés de phrases brèves et à la grammaire relâchée.

Ayant entendu parler de ce cas en 1971, lan Stevenson commença son enquête en septembre de la même année. Stevenson, qui a appris l'allemand en autodidacte, mais le parle couramment, eut plusieurs conversations avec Gretchen dont il obtint des réponses correctes à des questions qu'il lui avait posées. Il recueillit également le témoignage de plusieurs visiteurs de langue allemande qui avaient eux aussi interrogé Gretchen pendant les séances de rétrogression. En outre, Mme Jay subit un test au détecteur de mensonges pendant lequel elle nia avoir jamais appris l'allemand, test qu'elle passa haut la main.

En dépit de ces facteurs, ce cas est extrêmement ardu à analyser. En ce qui concerne Stevenson, il est resté tout à fait fasciné. Ainsi, dans son rapport de 1976, il indique que Mme Jay fit usage de 237 mots nouveaux au cours de plusieurs séances hypnotiques (c'est-à-dire des mots qui n'avaient pas été prononcés en sa présence par les observateurs de langue allemande au cours de ces séances). Il fut également impressionné par la franchise du couple qui permit qu'on fasse une enquête indépendante sur ce cas. Pourtant, le psychiatre de Virginie n'est pas certain qu'il s'agisse d'un cas de réincarnation. En effet, il affirme dans son rapport que la «possession» pourrait être une explication aussi vraisemblable de «Gretchen Gottlieb», bien qu'il n'ait pas expliqué pourquoi il fallait recourir à l'hypnose pour entrer en contact avec elle.

Mon opinion personnelle n'est pas aussi positive que celle de Stevenson. En fait, après avoir soigneusement examiné les rapports consacrés à ce cas, je conclurais plutôt qu'il s'agit soit de cryptomnésie, soit d'une supercherie. Il peut sembler cruel de lancer cette accusation, particulièrement au regard de la coopération constante des Jay avec les scientifiques qui enquêtaient. Pourtant, cette théorie (même si Stevenson la récuse) ne peut être facilement écartée. En effet, même le révérend Jay reconnaît avec franchise dans son livre avoir appris que sa femme avait acheté clandestinement un dictionnaire d'allemand et simulé délibérément une des séances de rétrogression. Il reste pourtant d'autres aspects qui rendent ce cas suspect :

1. Tous les faits historiques rapportés par Gretchen étaient faux ou n'ont pu être vérifiés, fait embarrassant que souligne lan Stevenson lui-même dans son rapport;
2. Gretchen ne parlait pas l'allemand correctement : sa grammaire était déficiente et elle s'exprimait parfois très mal;
3. Il arrivait à Gretchen de répondre à côté à des questions qui lui avaient été posées en allemand, ce qui indique qu'elle n'avait pas bien compris ce qu'on lui demandait;
4. Gretchen évitait souvent, et maladroitement, d'utiliser des verbes dans ses phrases. Lorsqu'elle le faisait, elle parlait immanquablement au présent, même quand ses phrases auraient dû être au passé ou au futur.

Ce dernier point me paraît être le plus suspect, puisque la conjugaison des verbes est l'aspect le plus difficile à maîtriser. Une personne simulant un cas de xénoglossie, que ce soit consciemment ou inconsciemment, rencontrerait des problèmes pour employer les verbes correctement et essaierait donc de les éviter ou de les employer dans leurs formes les plus simples. C'est ce que Gretchen faisait constamment. Si, pour conclure, nous ajoutons au mauvais allemand la performance plutôt médiocre en ce qui concerne l'aspect historique, nous ne disposons pas en définitive d'un cas intéressant pour la défense de l'hypothèse de la réincarnation.

En revanche, un meilleur cas à l'appui de cette doctrine a récemment été découvert par le docteur Joël Whitton, psychiatre à Toronto depuis 1973 en tant que phénomène purement psychologique; il a réincarnation donc probablement été très étonné de rencontrer un cas de xénoglossie. Cela se produisit en 1976 lorsqu'il commença à hypnotiser un psychologue de 30 ans dont l'identité n'a pas été révélée.

Le sujet de Whitton s'est jusqu'à présent souvenu de deux

vies, ainsi que de bribes des langues qu'il parlait pendant ces incanations. La première de ces vies était celle d'un Viking qui vivait aux alentours de l'an mil. Contrairement à la plupart des sujets en rétrogression, le psychologue ne devenait pas littéralement «une autre personnalité» pendant son incarnation viking, mais voyait des scènes de sa vie passée et entendait son alter ego lui parler et lui donner les réponses aux questions que lui posait l'hypnotiseur.

Au cours de plusieurs séances, il a produit quelques mots de norrois, le précurseur de l'islandais moderne. Il est intéressant de noter que la traduction de ces mots renvoie presque exclusivement au monde marin. Il s'agit naturellement du type de mots qu'on s'attendrait à entendre dans la bouche d'un Viking réincarné. Quelques mots d'origine serbe ou russe ont été également prononcés. Pourtant, le psychologue n'avait pas développé une personnalité secondaire comparable à la «Bridey Murphy» de Mme Tighe ou à la «Gretchen Gottlieb» de Mme Jay.

Le sujet de Whitton s'est également souvenu d'une vie vécue en tant que jeune homme en Mésopotamie vers 625 ap. J.-C. Durant cette phase de sa rétrogression, il a pu écrire quelques textes dans la langue qu'il parlait et écrivait durant cette existence. Indrahim Pourhadi, expert en langues moyen-orientales à la Bibliothèque du Congrès de Washington, a récemment identifié ces textes comme étant du sassa-nide pahiavi. Il s'agit de la langue qui était parlée en Mésopotamie au VIIe siècle : elle n'a aucun rapport avec l'iranien moderne.

Le docteur Whitton n'a pas encore fait paraître de rapport détaillé sur ses expériences avec ce sujet anonyme, pas plus que le récit des vies de ses incarnations ou que les données historiques fournies par celles-ci. Cependant, du point de vue des preuves, ce cas présente des arguments de poids en faveur de la réincarnation. Le fait que ce sujet ait parlé et écrit deux langues «mortes» et peu connues rend ce cas plus impressionnant que d'autres exemples de xénoglossie.

En conclusion, est-il donc possible de recourir à l'hypnose pour explorer la problématique de la réincarnation? Et dans ce cas, peut-on évaluer la cohérence de cette technique? Comme nous l'avons vu pour les cas de mémoire extracérébrale, les faits sont contradictoires. Certains indices tendent à prouver que l'hypnose peut permettre de se souvenir plus facilement d'une vie passée, mais ils sont susceptibles d'être interprétés de façons fort différentes.

À cet égard, il est difficile d'évaluer le rôle joué par la cryptomnésie et par la perception extrasensorielle dans l'évolution de ces souvenirs. En outre, les hypnotiseurs effectuant des expériences sur les souvenirs de vies antérieures ne recueillent pas tous des résultats satisfaisants. Ainsi, il fallut des années de travail avec des sujets particulièrement doués avant que le docteur Whitton ne découvre son sujet hors du commun.

Néanmoins, il existe certaines indications qui tendraient à prouver que l'état d'esprit provoqué par l'hypnose pourrait être la clef de la rétrogression plus que la technique elle-même. En effet, l'hypnoses provoque des états de conscience altérés. Certains indices encore provisoires semblent prouver que des sujets volontaires, placés dans de tels états, pourraient avoir tendance à se souvenir de vies antérieures. Pour ce faire, on peut recourir à ce qu'on nomme l'«imagerie guidée», une technique qui a récemment été utilisée avec succès par la docteure Helen Wambach, psychologue californienne qui l'a employée avec des groupes. Elle a fait paraître un rapport sur ses recherches sous le titre Reliving Past Lives (Revivre des vies passées). Helen Wambach commence par détendre ses sujets, puis, grâce à la suggestion, les guide à rebours de leur existence dans un voyage où ils explorent leurs vies passées.

Seul le temps pourra nous dire si ses sujets ont réellement des souvenirs d'une vie antérieure ou s'il ne s'agit que de fantasmes.

Une démarche plus insolite a été découverte accidentellement par le docteur Stanislav Grof, psychiatre tchécoslovaque travaillant à présent aux États-Unis, en marge de ses recherches sur le LSD. Dans son ouvrage Realms of the Human Unconscious (Domaines de l'inconscient humain), il indique que quelques-uns de ses sujets s'étaient spontanément souvenus de vies antérieures au cours de leurs expériences avec cette drogue. Il est parfois arrivé qu'ils aient fourni des informations précises sur ces vies.

Que la doctrine de la réincarnation recouvre la vérité ou qu'elle relève de la fiction, il n'en reste pas moins qu'il existe une abondance de chercheurs et de techniques pour l'explorer. Il faut espérer que, le moment venu, ceux-ci obtiendront des résultats qui nous fourniront des éléments moins ambigus pour étayer ou réfuter l'hypothèse de la survie après la mort.

Réflexions personnelles

Aucun chercheur dans le domaine du métapsychisme ne peut étudier les arguments en faveur de la survie sans en arriver à des conclusions personnelles. Les parapsychologues s'accordent rarement sur quelque sujet que ce soit : la problématique de la survie ne fait pas exception à cette règle. Certains chercheurs rejettent catégoriquement l'idée de l'après-vie, tandis qu'une poignée d'entre eux semblent considérer ce concept d'un œil favorable. La plupart des parapsychologues tendent toutefois à rester simplement agnostiques. Du fait de la nature même de la controverse, toute conclusion ne peut être que partiellement subjective et totalement personnelle.

Cette problématique consiste en fait en deux aspects distincts, dans la mesure où l'existence d'une forme de vie après la mort n'implique pas nécessairement la possibilité d'une communication entre les vivants et les morts. La controverse peut donc être réduite à la question de la survie à proprement parler et en son corollaire spirite. Quant à moi, je crois que le second représente le domaine le plus potentiellement fructueux pour la recherche, puisque toute donnée qui l'influence aura aussi un impact crucial sur la première.

Mes propres sentiments penchent résolument en faveur de la notion de la survie, même si ma position n'est plus aussi ferme qu'il y a environ 10 ans. En effet, des indices de plus en plus nombreux suggèrent que les expériences de décorporation sont rarement véridiques, qu'il se pourrait que les survivants de mort temporaire réagissent à des signaux auditifs (fournis par les médecins et les infirmières) lorsqu'ils se sentent quitter leur corps et que les visions à l'article de la mort pourraient bien être des expériences psychologiques archétypes.

Ce type de pensées et de recherches marquées par le scepticisme n'a pourtant pas ôté leur importance à ces phénomènes, mais tout ceci donne à penser qu'il nous faut demeurer vigilants. On peut tirer une leçon de la recherche massive polarisée sur la décorporation qui s'est organisée à la suite du legs de Kidd : le poids combiné de toutes ces études a démontré que ce phénomène est loin d'être aussi net et abstrait que nous le pensions. Certaines indications suggéraient qu'un aspect de notre esprit peut temporairement quitter le corps; or, d'autres études ne réussirent à isoler rien de cohérent ou de mesurable à propos de cet «aspect». Rien n'est jamais très clair en parapsychologie, ce qui explique pourquoi la question de la survie est controversée depuis si longtemps.

Il faut donc chercher à savoir quel genre de données peuvent servir de preuves de l'après-vie. De nombreux chercheurs pensent qu'aucun élément de preuve ni qu'aucune étude de cas ne peuvent prouver la validité de l'hypothèse de la survie. Selon eux, les indices doivent être évalués en bloc et comme un entrelacs complexe de faits, de nombres et de cas.

La question centrale à laquelle les chercheurs sont confrontés de nos jours est celle-là même avec laquelle les parapsychologues étaient aux prises entre les années 1880 et 1920 : existe-t-il des cas pour lesquels nos dispositions à la perception extrasensorielle n'entrent pas en jeu? L'hypothèse de ce mode de perception affirme qu'aucun facteur limitatif ne vient entraver nos facultés; la PES peut avoir accès à n'importe quelle information ou ensemble d'informations existants, où que ce soit dans le monde, dans son passé ou son présent. Ces informations peuvent alors être traitées inconsciemment avant d'être présentées à la conscience au moyen d'un message «spirite». Les esprits communicateurs, les personnalités de transe et les visions à l'article de la mort peuvent donc n'être que des projections de notre propre esprit, soigneusement structurées grâce à la recension d'informations métapsychiques.

L'idée que nous possédons la faculté de percevoir extrasensoriellement n'est qu'une théorie, qui s'est récemment trouvée en butte à de nombreuses critiques. Mais il existe également une quantité considérable de preuves que cette faculté peut réussir à effectuer des tâches très complexes en laboratoire - de sorte que même si cette idée peut sembler extravagante, elle est néanmoins dans le droit fil de ce que les parapsychologues ont appris sur le sixième sens.

C'est pourquoi je préfère penser que la preuve définitive de la survie repose sur deux types de cas :

1. Les cas spontanés de contacts avec l'au-delà dans lesquels le motif de la communication dépend plus du défunt que du témoin;

2. Les cas dans lesquels le témoin acquiert ou adopte une faculté que possédait le défunt. (En effet, il n'est aucun élément qui permette de penser que la perception extrasensorielle peut être utilisée pour capter une faculté, dans la mesure où la PES est un canal de communication tandis qu'une faculté est un attribut acquis par le truchement de la pratique.)

Deux cas convaincants

La volumineuse littérature parapsychologique recèle deux cas qui correspondent à ces critères et qui fournissent des arguments solides en faveur de la survie.

L'affaire du testament de Chaffin, qui fut sans doute le cas le plus célèbre de contact spontané avec l'au-delà, fit l'objet d'un rapport en 1927. Il était question de la propriété, située en Caroline du Nord, de James L. Chaffin, qui mourut en 1921. Son testament établissait que la propriété était destinée à son troisième fils (Marshall), ce qui laissait sa femme et ses trois autres fils virtuellement déshérités. Ce document avait été rédigé et certifié en 1905. Les dispositions du testament furent respectées, mais, en 1925, quatre ans après sa mort, l'apparition de Chaffin commença à se manifester auprès de l'un de ses autres fils, James P. Chaffin Jr. Elle se matérialisait auprès du lit du jeune homme, vêtue d'un vieux pardessus que le défunt portait souvent de son vivant.

Le personnage ne parla qu'à l'occasion de sa seconde apparition.
Le message était le suivant : «Vous trouverez mon testament dans la poche de mon pardessus.» Or, ce vêtement était en la possession d'un autre frère. Après en avoir décousu la doublure, on découvrit une note manuscrite qui disait simplement : «Lisez le 27e chapitre de la Genèse dans la vieille Bible de mon père.» Les recherches n'étaient donc pas terminées. On retrouva l'ouvrage chez la veuve : il fut examiné en présence de deux témoins indépendants. Personne ne fut surpris lorsqu'une ébauche du testament, rédigée à la main et datée de 1919, y fut découverte : elle divisait la propriété équitablement entre les enfants. On produisit le testament devant le tribunal, qui le déclara conforme et redistribua la propriété. L'authenticité de ce document était tellement indéniable que la famille de Marshall ne la contesta pas.

L'explication habituelle de ceux qui écartent la survie est que James P. Chaffin entendit parler du testament grâce à ses dispositions à la clairvoyance. Son inconscient créa ensuite l'apparition en tant que moyen de faire passer les informations dans sa conscience. Cette théorie peut paraître séduisante, mais elle ne peut rendre compte de plusieurs des faits. Ainsi, elle ne permet pas d'expliquer pourquoi l'information ne vint au grand jour que quatre ans après le décès de Chaffin, et non immédiatement après qu'on eut pris connaissance de ses dernières volontés, moment où la motivation de James P. Chaffin à l'égard de ce testament aurait été à son comble.

De même, aucune théorie de la perception extrasensorielle ne peut élucider la raison pour laquelle les pouvoirs du jeune Chaffin se concentrèrent sur la poche du pardessus et non directement sur la Bible. Et pourquoi y eut-il une confusion entre l'emplacement supposé du testament (dans la poche du pardessus) et le fait que c'est une note manuscrite qui se trouvait dans la doublure? Ce que l'apparition avait indiqué n'était donc pas vrai à proprement parler. En outre, certains commentateurs de ce cas négligent le fait qu'une fois le testament trouvé, l'apparition de Chaffin se manifesta une dernière fois : celui-ci paraissait encore soucieux de l'injustice faite à sa famille.

Or, si nous supposons qu'il parlait vraiment de l'au-delà, toutes les bizarreries de ce cas trouvent tout leur sens. Nous savons que la mémoire est souvent une faculté fragile et que deux souvenirs trop liés peuvent aisément se confondre au fur et à mesure que le temps passe. Le défunt aurait fort bien pu confondre le testament et le message laissé dans la poche de son pardessus. En fait, je crois que cette légère méprise peut uniquement être expliquée en acceptant le fait que la personnalité survivante de Chaffin était la source des informations. La théorie de la survie peut aussi rendre compte de la dernière apparition, après que le testament eut été découvert, à un moment où Chaffin n'avait plus aucun motif pour se manifester de nouveau. Il est possible que le défunt n'ait simplement pas su que le testament était à présent entre les mains de sa famille.

Nombre de ces facteurs de motivation sont également présents dans le cas de Teresita Basa, où la personnalité survivante de la victime avait plus de motifs de voir s'accomplir la justice que ce n'était le cas pour Mme Chua. Cette dernière ne la connaissait pas très bien et ne travaillait même pas à l'hôpital lorsque les messages cruciaux furent reçus. Elle n'était donc pas menacée directement par le meurtrier qui y travaillait toujours.

A présent, nous allons envisager le second type de cas que j'ai analysé ci-dessus. Les cas de personnes ayant acquis soudainement des compétences inhabituelles après être entrées en contact avec l'au-delà sont rares; seul un petit nombre est présent dans la littérature spécialisée, mais ces cas sont généralement très impressionnants. Les ouvrages plus anciens consacrés aux médiums font état de spirites en transe qui se mirent tout à coup à parler dans une langue étrangère.
Il s'agissait d'idiomes que connaissaient les «communicateurs» qui parlaient par leur entremise, mais qui dépassaient les connaissances et les capacités des médiums. Ce phénomène était plus souvent narré par la presse spiritualiste que dans les rapports «officiels» de la Société pour la recherche métapsychique, de sorte que les documents sur la médiumnité «polyglotte» ne sont pas aussi complets qu'ils auraient pu l'être. Néanmoins, quelques cas supportent tout de même un examen rigoureux.

De nos jours, les médiums doués de facultés inhabituelles héritées de leurs contacts «spirites» sont plus nombreux :

1. Rosemary Brown est une Anglaise qui compose parfois de l'excellente musique sous la tutelle des grands compo-

siteurs européens du passé. Son éducation musicale est très limitée et pourtant, de nombreux musicologues ont été impressionnés par la qualité de ses compositions;

2. Emma Conti est une médium italienne qui «reçoit» de la poésie que lui communique l'esprit d'Emily Dickinson. Elle a obtenu 46 prix littéraires pour ses poèmes, bien qu'elle n'ait pas fait d'études secondaires;

3. Matthew Manning est mieux connu à présent pour ses dons de guérisseur, mais lorsque ses pouvoirs commencèrent à se développer en Angleterre, alors qu'il était adolescent, il commença à réaliser des estampes détaillées et des esquisses à la manière de plusieurs artistes disparus.

Le problème que soulèvent tous ces cas est pourtant le même : la psychologie sait relativement peu de choses au sujet de nos facultés de création ou sur la nature de la créativité inconsciente. Il est donc quasiment impossible de retrouver la véritable source de ces inspirations. Le fait que certains médiums affirment que leurs créations proviennent du monde des esprits ne signifie pas nécessairement que tel est le cas. Il faut toutefois noter que Rosemary Brown et Emma Conti auraient toutes les deux transmis des messages à valeur de preuve émanant des esprits avec lesquels elles sont en contact. Il existe dans les annales de la science métapsychique un cas similaire qui permet de surmonter ce problème.

Le cas Thompson/Gifford

Le cas à présent célèbre de Thompson/Gifford remonte à 1905. Frédéric Thompson, né dans le Massachusetts en 1868, exerçait la profession de joaillier; il était également peintre amateur, mais il convient de reconnaître que ses tableaux étaient médiocres. Durant l'année 1905, il s'aperçut soudainement que son corps et son esprit étaient envahis par une présence étrangère. Il contracta une envie dévorante de dessiner et de peindre, qu'il attribua bientôt à son alter ego qu'il avait nommé «M. Gifford». Il avait choisi ce nom d'après celui de Robert Swain Gifford, paysagiste célèbre qu'il avait rencontré en deux occasions à la campagne près de New Bedford. Ces compulsions étaient souvent accompagnées de visions de paysages qui lui servaient de modèles pour ses tableaux. Certaines des réalisations artistiques qui en résultaient surpassaient tout ce qu'il avait produit auparavant du fait de ses maigres talents, mais ce n'est que lorsqu'il apprit la mort de Gifford qu'il commença à s'inquiéter de sa santé mentale.

Lorsque Thompson découvrit que ses étranges compulsions s'étaient développées peu de temps après la mort du peintre, il s'adressa au professeur James H. Hyslop de la Société américaine pour la recherche métapsychique à New York. Ce dernier ne fut pas excessivement impressionné par le récit de Thompson; il pensa tout d'abord que ce cas contribuerait plus au domaine naissant de la psychologie qu'à la recherche métapsychique. Malgré tout, son intérêt était suffisamment éveillé pour qu'il décide d'explorer plus avant les affirmations de Thompson.

Hyslop s'intéressait surtout à la production artistique, si bien qu'il se fit prêter plusieurs tableaux et esquisses afin de pouvoir les examiner à loisir. Ces peintures furent au centre de ce cas, car plusieurs experts qui les virent émirent spontanément des remarques quant à leur similitude avec les œuvres de feu Robert Swain Gifford. Mais le fin mot de l'histoire eut lieu après que Hyslop et Thompson eurent décidé d'enquêter sur la vie et l'oeuvre du peintre disparu. En effet, ils finirent par découvrir que certaines des esquisses qui étaient à présent en possession du professeur étaient le pendant de tableaux laissés inachevés par la mort de l'artiste. Ils étaient toujours entre les mains de sa veuve, qui ne les avait pas encore montrés au public (elle les avait conservés dans la résidence qu'ils avaient longtemps occupée sur une île privée au large de la côte de la Nouvelle-Angleterre). Certains des autres dessins de

Thompson représentaient des lieux qu'on put identifier sur l'île.

L'étrange cas de Frédéric Thompson est bien plus complexe qu'un bref résumé ne pourra jamais le laisser paraître. Le professeur Hyslop effectuait également à cette époque des expériences avec des médiums de Boston, de New York et de Virginie. Il commença à recevoir des messages à valeur de preuve de la part de Robert Swain Gifford, tandis que Frédéric Thompson se mettait à subir des expériences de projection hors du corps. Tout incitait à croire que l'artiste défunt essayait de prouver son identité par tous les moyens à sa disposition.

Mon opinion sur ce cas extraordinaire est relativement claire. Même si nous prenons en considération la possibilité que Frédéric Thompson ait été un puissant spirite, il ne semble pas y avoir de raison pour laquelle il aurait soudainement assimilé la personnalité de Gifford d'une manière aussi bizarre. En effet, il est beaucoup plus logique de supposer que l'artiste défunt, voulant poursuivre son œuvre, a naturellement choisi un autre artiste dont il pouvait guider la main facilement. Il est également difficile d'expliquer les décorporations de Thompson, quoique cette évolution soit parfaitement explicable si nous supposons que Gifford essayait de le contrôler et de le posséder. En outre, le rapport avec la soudaine intrusion de Gifford dans sa vie explique aussi la soudaine genèse artistique de Thompson.

Des rapports ayant trait à de tels cas de retour des «esprits» abondaient dans la littérature des débuts de la recherche métapsychique. Il est dommage qu'ils soient très rares de nos jours. Il est possible que cela provienne du fait que les parapsychologues modernes ne sont plus autant intéressés par leur découverte et leur investigation que pouvaient l'être les fondateurs de cette science. Je peux très bien imaginer comment un chercheur réagirait aujourd'hui aux affirmations d'un individu tel que Frédéric Thompson. Toute cette affaire ressemblait fort à un cas bizarre de psychopathologie. Les fondements métapsychiques ne furent révélés en fin de compte que parce que Hyslop avait décidé d'examiner ce cas de plus près, en dépit de son cynisme initial.

Aujourd'hui, les chercheurs ont rarement le temps ou le désir d'étudier ce type de cas en profondeur. Il est d'ailleurs intéressant de noter que pas un seul parapsychologue ne mena d'enquête sur le cas de Teresita Basa, même après qu'il eut reçu autant de publicité au niveau national! Ian Stevenson, de l'université de Virginie, est pratiquement le seul chercheur qui s'intéresse aux cas ayant trait à la question de la survie. Mais puisqu'il s'est consacré aux cas de type réincarnation, ses contributions aux autres domaines de la recherche sur l'après-vie ont été réduites au minimum.

Pourtant, son collègue Satwant Pasricha et lui ont récemment publié un rapport sur un troisième cas pour lequel seule la théorie de la survie semble être une explication défendable. Il s'agit des étranges transes d'Uttara Huddar, enseignante et administratrice à Nagpur, en Inde. Depuis 1973, il arrive souvent à Mme Huddar de prendre la personnalité d'une femme appelée Sharada, qui vivait au Bengale au XIXe siècle. Ces transes peuvent durer de quelques heures à plusieurs jours. «Sharada» a communiqué un certain nombre de détails sur sa vie et ses amis : des recherches généalogiques poussées ont prouvé que beaucoup des noms qu'elle a prononcés renvoient à des personnes qui ont vraiment existé au Bengale il y a des années.
Il semble tout à fait douteux que Mme Huddar ait pu avoir accès à ces renseignements.

De plus, Sharada parle le bengali, qui est un dialecte distinct du mahrati parlé par Mme Huddar. Des experts ont certifié que Sharada parle cette langue correctement et utilise un vocabulaire approprié pour quelqu'un du siècle dernier. Il semble que Mme Huddar ait su écrire le bengali à une époque, mais qu'elle ne possède pas du tout la langue parlée.

Le cas du retour mystérieux de Sharada continue de se dérouler (il devrait devenir un classique du genre). Le seul problème est de savoir s'il s'agit ou non d'un exemple de réincarnation ou d'une authentique possession par un esprit. Le docteur Stevenson préfère la première théorie, même si toute décision à cet égard ne peut être qu'arbitraire. Ce qui importe, c'est que chacune des deux explications implique une forme de survie.

En dépit de ces faits, je ne pense pas que la controverse de la survie sera jamais définitivement résolue par un seul cas ou même de nouvelles recherches. Je suis convaincu que les arguments en faveur de la survie sont enfouis dans les riches archives du terrain et dans les livres d'histoire.

On notera avec intérêt que deux des trois cas esquissés dans ce chapitre remontent à plus de 50 ans, à l'âge d'or de la recherche sur la survie. Les études de cas réalisées à cette époque devancent de beaucoup une grande partie des travaux connexes que produit la parapsychologie de nos jours. Quoique mes vues aient oscillé entre différentes théories durant toutes ces années, je considère toujours que celle de la survie constitue l'explication la plus convaincante pour certains de ces cas.

Mais en arriver à l'opinion que nous survivons à la mort n'est pas une fin en soi. En fait, cela conduit à poser une myriade de questions plus dérangeantes et plus difficiles : Quels sont les aspects de la personnalité qui survivent? Possédons-nous une âme ou s'agit-il d'un ensemble de traits de personnalité et d'énergie qui sont libérés à l'heure de la mort? Survivons-nous à la mort pour toujours ou subissons-nous une seconde

annihilation, permanente, cette fois? Quelle est la nature de l'«autre monde»?
Il s'agit là des questions essentielles de la problématique de la survie, sur lesquelles la parapsychologie n'a guère à se prononcer, dans la mesure où fort peu de faits de la littérature passée ou contemporaine de ce domaine viennent les éclairer. Pour moi, l'aspect le plus mystique de la controverse sur la survie réside dans cette impénétrabilité fondamentale. Du fait de sa nature même, cela m'étonnerait que la question soit un jour résolue à la satisfaction générale. Cela surviendra lorsque nous aurons trouvé une méthode fiable pour communiquer avec l'au-delà, mais je doute que ce jour arrive jamais. Il est évident que le cerveau humain est un outil trop complexe et trop incohérent à utiliser. Or, c'est le seul dont nous disposons pour l'immédiat.

Par conséquent, ce que la parapsychologie a de mieux à faire est de continuer à explorer les pistes qu'elle a ouvertes : il nous faut encore tant apprendre au sujet des médiums, de la mort temporaire, de la projection hors du corps, des visions à l'article de la mort et des cas de réincarnation. Il est possible qu'un jour un cas de contact avec l'au-delà vienne sur le devant de la scène d'une façon si impressionnante, si stupéfiante que la question de la survie au choc de la mort ne posera plus problème. Mais il m'est impossible de dire s'il s'agit là d'une possibilité réelle, d'un simple exercice de spéculation ou encore d'un optimisme inopportun. Les arguments en faveur de la survie sont certes impressionnants, mais ne sont pas encore étayés par des preuves irréfutables.